Инна Бачинская

Инна Бачинская

Женщина в голубом

Москва

2020

УДК 821.161.1-312.4
ББК 84(2Рос=Рус)6-44
Б32

Дизайн обложки *С. Курбатова*

Редактор серии *А. Антонова*

Бачинская, Инна Юрьевна.

Б32   Женщина в голубом : [роман] / Инна Бачинская. — Москва : Эксмо, 2020. — 320 с. — (Детектив сильных страстей).

ISBN 978-5-04-115898-9

Когда-то Олег Монахов по прозвищу Монах, называющий себя экстрасенсом и волхвом, был заядлым путешественником, но после автомобильной аварии ему пришлось на неопределенный срок задержаться в городе. Спасают его только частные расследования, который он ведет совместно со своим другом, журналистом Алексеем Добродеевым. Город потрясла серия жестоких преступлений – сначала погиб известный шоумен и организатор конкурсов красоты Яник Ребров, а через пару дней была найдена мертвой его девушка Анфиса. Параллельно с майором полиции Мельником Монах и Добродеев начали собственное следствие и поняли: следы преступлений ведут в художественную галерею, где все они совсем недавно присутствовали на презентации работ знаменитого американского художника Марка Риттера...

УДК 821.161.1-312.4
ББК 84(2Рос=Рус)6-44

ISBN 978-5-04-115898-9

... Я подошел, и вот мгновенный,
Как зверь, в меня вцепился страх:
Я встретил голову гиены
На стройных девичьих плечах.
На острой морде кровь налипла,
Глаза зияли пустотой,
И мерзко крался шепот хриплый:
«Ты сам пришел сюда, ты мой!»
Мгновенья страшные бежали,
И наплывала полумгла,
И бледный ужас повторяли
Бесчисленные зеркала.

Николай Гумилев «Ужас»

Все действующие лица и события романа вымышлены, любое сходство их с реальными лицами и событиями абсолютно случайно.

Автор

Пролог

*Не знаю почему, но сердце замирает,
Не знаю почему, но вся душа дрожит...*

А. Апухтин «Предчувствие»

Женщина, нагнувшись, пытаясь разобрать цифры, набрала код и проскользнула в подъезд. Вбежала на третий этаж, невольно оглянулась и прислушалась.

Все было тихо. Дом спал.

Она взглянула на часы, было двенадцать пятьдесят семь.

Позже ей часто снились эти цифры: единица, двойка, пятерка и семерка. Тысяча двести пятьдесят семь...

Почему ночью? Что за нелепые фокусы? Она чувствовала злобу и тоску, ей казалось, что капкан захлопнулся и ей не выскочить. И сны в последнее время снятся...

Сбежать? Все бросить и сбежать? Куда? Некуда бежать.

Чего он хочет? Сказал, поговорить. Дурацкая, нелепая случайность...

О чем? О чем... Разве она не знает, что ему нужно? А что ему нужно было раньше? Что же делать? Что?

Она вдруг осознала, что стоит перед знакомой дверью, не решаясь...

Он сказал, ухмыляясь: «Ключик не потеряла?»

Откуда он знал, что она не посмела выбросить проклятый ключ, что прятала его со всякими безделушками, этот проклятый золотой ключик. Как будто знала...

Она приложила ухо к двери и застыла, прислушиваясь.

За дверью было тихо.

Она достала из сумочки ключ и попыталась вставить его в замочную скважину.

Ключ, скрежеща, скользил по замку — она никак не могла попасть в замочную скважину, так дрожали руки.

Как агнец на заклании, всплыла слышанная когда-то фраза. Агнец, заклание, конец...

Он испортил ей жизнь однажды, сейчас он сделает это снова. Капкан захлопнется.

Первый раз ей удалось вырваться, теперь он возьмет свое. Она, дуреха, думала, что вырвалась, но ошиблась. Она помнит свой ужас, когда неожиданно увидела его, помнит, как уставилась на него... Как удав на кролика! Потом мгновенное облегчение — он ее не узнал! А потом он позвонил и сказал...

Он смеялся! И она поняла, что он узнал ее! Узнал с самого начала, но играл, как кот с мышью, издевался, как раньше, как всегда. Даже то, что он заставил ее прийти ночью...

Она опустила руку в сумку и нащупала нож. Вскрикнула, уколовшись, отдернула руку, сунула палец в рот, почувствовав сладковато-соленый вкус крови. Кровь... как предчувствие. Бежать! От него не убежишь...

Ей удалось наконец открыть дверь, и она, снова оглянувшись, вошла.

В прихожей горел свет. Дверь в гостиную была распахнута, и там тоже горел свет.

Ждет гостей!

Она позвала его, но ей никто не ответил. Она остановилась на пороге гостиной, но войти не решилась. Там было пусто. Ей было не по себе. Она снова позвала его, и снова ей никто не ответил. Она шла, вспоминая, где кухня. Возможно, он там.

Дверь в ванную комнату была раскрыта, свет горел и здесь. Она застыла на пороге, закрыв рот рукой, удерживая вопль.

Картина, представшая ее глазам, напоминала фильм ужасов. Мужчина лежал в кровавой ванне — запрокинутая голова, свисающая с края рука, красная лужа на белом коврике...

Она с трудом удержалась на ногах, чувствуя, как наливается чугунной тяжестью затылок, как с пронзительным визгом, причиняя нестерпимую боль, вонзается в виски сверло и меркнет в глазах. Она оперлась рукой о стену, чувствуя, как подкатывает тошнота. Закрыла глаза, пережидая приступ.

Очнувшись, метнулась к выходу, цепляя плечами стены, оступаясь и скользя на паркете; упала, ударившись виском о край тумбочки, и потеряла сознание...

...Она пришла в себя от холода. Она лежала на полу, ее колотил озноб. Из полуоткрытой входной двери тянуло ледяным сквозняком. С трудом она встала на колени и, цепляясь за стену, поднялась. Потрогала голову, почувствовала боль и отдернула руку.

В квартире по-прежнему было очень тихо и пусто. В тишине вдруг проступил мерный стук капели — где-то далеко капала вода... или кровь?

В сознании ее промелькнула картинка: человек с запрокинутой головой лежит в кровавой воде, торчащая рука, под ней красная лужа. В ушах стучало мерно и страшно ...

Женщина выскользнула из квартиры — оглушительно хлопнула дверь, и она, вскрикнув, помчалась вниз...

Глава 1
Неистовость.
Все проходит...

Велением судьбы я ввергнут в мрачный склеп,
Окутан сумраком таинственно-печальным...

Шарль Бодлер «Мрак»

Его разбудил какой-то звук. Он открыл глаза — в спальне царил полумрак — и увидел низкий потолок с поперечной трещиной. Перевел взгляд на окно, прикрытое пестрыми шторами, через которые просвечивал неяркий утренний свет. Задержал взгляд на картине на стене напротив кровати — полуголые женщины, опахала из страусовых перьев, черные мальчики-служки...

Он испытывал растущее чувство оторопи и недоумения. Повернул голову и отпрянул, из горла рванулся хриплый звук, не то ругательство, не то возглас изумления.

Рядом с ним лежала женщина. Он приподнялся на локте, чтобы рассмотреть ее, и застыл, резко втянув воздух, не веря глазам, чувствуя, как мерзким комом подступает к горлу дурнота.

Она лежала неподвижно, полуотвернувшись, с разбросанными в стороны руками, небрежно прикрытая, а вокруг — на подушке, простыне, брошенном полотенце — везде! — страшно краснели пятна...

Он сразу понял, что это кровь. Сел рывком, отодвинувшись на край кровати, не в силах отвести взгляд от ее тела, все еще не веря...

С ужасом заметил нож, полускрытый простыней, — в глаза бросилась прозрачная наборная из разноцветного пластика рукоятка. У него был такой же, с пружиной, подарок приятеля-сидельца; по молодости он иногда таскал его с собой, больше для понтов.

Он протянул руку, чтобы взять нож, но не решился, и рука застыла на полпути. Долгую минуту он тупо сидел с протянутой рукой; голова была тяжелой, в затылке и висках страшно и тяжело бил молот.

В нос вдруг шибанул сладкий, приторный запах крови, и едва он успел вскочить, как его стошнило. Мерзкая вонючая масса исторгалась наружу с кашлем и рычанием, из глаз лились слезы, и боль раздирала горло и грудь.

Закрыв глаза, держась за спинку кровати, он приходил в себя. Сердце било набатом, и ему казалось, что от ударов сотрясаются стены незнакомой и чужой комнаты.

Он охнул от внезапного резкого сигнала мобильного телефона, испытав страх почти животный. Серебристый аппаратик лежал на полу у комода, вереща и мигая, словно чей-то подсматривающий взгляд.

Мужчина смотрел бессмысленно и не шевелился. Потом взглянул на лежащую в кровати женщину, словно надеясь, что она проснется.

У него мелькнула мысль: кто звонит ей в такую рань? Или будильник? Мелькнула и тут же исчезла.

Он наткнулся взглядом на окровавленные тряпки, снова схватился за спинку кровати и закрыл глаза, пережидая вновь накатившую тошноту.

Телефон наконец заткнулся, и наступила жуткая тишина.

Он поспешно подобрал с пола одежду и на ватных ногах пошел из спальни. Не взглянув на женщину.

Она была ему незнакома. Спальня была чужой. Запахи жилья были чужими. Небогатая мебель, скрипящие половицы, пестрые шторы — все было чужим.

Он поспешно оделся и подошел к окну, пытаясь понять, где находится. Чужой двор был пуст, на лавочке у подъезда никто не сидел. Он прислушался — ему показалось, он слышит голоса. За стеной действительно бубнили голоса, не то жильцы, не то телевизор.

Он достал из кармана мобильный телефон, часы показывали десять минут седьмого. Нужно немедленно убираться! Еще немного, и народ потянется на работу.

Он почти не помнил, как попал сюда, не помнил, был ли на машине. Нет! Они приехали на такси! Да, на такси.

Вчерашний вечер, минуту назад стертый из памяти, возвращался кусками. Он опять перебрал и... сорвался? Ему нельзя пить. А кто... эта? Он был уверен, что никогда раньше ее не видел... Откуда она взялась?

Память возвращалась рывками. Он увидел картинку — высокая девушка с длинными светлыми волосами пытается выдернуть каблук из щели люка и взмахивает руками, чтобы не упасть.

Лица ее он вспомнить не мог. Только длинные светлые волосы. И голос. Она что-то сказала... кажется, чертыхнулась. Увидела его и попросила помочь...

Такая глупость, сказала, прямо капкан, не дай бог, сломался каблук!

Низкий, негромкий голос... Он не терпел женщин с фальшивыми детскими голосами.

Красивая. Так ему показалось.

У него мелькнула мысль, что надо бы вернуться и рассмотреть ее хорошенько или проверить документы, чтобы узнать, как ее зовут...

13

Может, она живая... Живая?

Он сделал шаг по направлению к спальне и остановился, вспомнив неподвижное тело, кровь...

«Убирайся», — приказал себе. Пока не вернулся... не вернулись... кто там с ней живет? Подруга? Тот, кто звонил? Пошел вон!

Он осторожно открыл входную дверь и прислушался.

На лестничной площадке было тихо. Через тусклое окно наверху пробивался неверный свет.

Он ступил через порог, осторожно закрыл за собой дверь и скатился вниз. Выскочил из подъезда и зашагал со двора под прицелами воображаемых враждебных взглядов, которые ощущал шкурой.

Он прошел несколько кварталов, никем не остановленный, не привлекая ничьего внимания.

Улица была ему незнакома — обычный спальный район. Народу было немного, и был он опухший и заспанный.

Он подумал, что ничем не выделяется, такой же опухший и несвежий, несмотря на дорогой костюм. Он попытался отряхнуть пиджак, только сейчас заметив пыль на рукаве, и увидел, что руки испачканы красным.

Потрясенный, он поднес их к глазам, не желая верить, надеясь, что ему кажется. Преодолевая приступ паники, он стоял на нетвердых ногах, держа перед лицом испачканные ладони, чувствуя тошнотворный запах крови, задерживая дыхание, чтобы прекратить спазмы в желудке.

Почти без сил он упал на скамейку в каком-то жалком сквере. Достал телефон, набрал номер.

Там откликнулись сразу.

— Роб, у меня проблемы, — с трудом выговорил он.

— Ты? Что случилось? Ты где?

— Не знаю. Улица Космонавтов, тут какие-то ремонтные мастерские...

— Космонавтов? — удивился тот, кого назвали Робом. — Как тебя туда занесло? Это же пригород! Что случилось?

— Роб, мне нужна помощь, — перебил он. — Можешь приехать? Я не хочу вызывать тачку. Тут сквер с фонтаном, рядом дом пятнадцать. Жду.

...— Я ничего не помню! — Носовым платком, намоченным в грязной воде бассейна, он снова и снова тер ладони, пытаясь оттереть кровь. — Я не помню, как мы добрались до ее дома, я не помню, как ее зовут... Помню только, что бармен вызвал такси, мы сели, и она сказала адрес. Проснулся утром, а она рядом в крови...

Они сидели в машине Роба.

— Подожди, что значит в крови? Ты ее избил? Или... что?

— Не знаю! — в отчаянии выкрикнул мужчина. — Не помню. Я перебрал вчера и, наверное, сорвался...

— Подожди. Ты видел нож или... что-нибудь? Может, она живая! Кто она такая?

— Не знаю! — В голосе мужчины звучало отчаяние. — Там был нож... кажется... Не знаю! Кажется, был... Я сразу ушел. Она была вся в крови и не шевелилась. Я даже не помню, как ее зовут!

— Давай вернемся, посмотрим, может, ничего страшного...

— Нет!

— Ладно. Я отвезу тебя домой, вернусь и посмотрю сам. Приведи себя в порядок. Я позвоню. Дверь заперта?

15

— Нет. Не знаю... Я просто прикрыл. Не помню... Что ты собираешься делать? — Они смотрели друг на друга. — Нас видели в баре, какие-то ее знакомые, и бармен ее знает. Она заговорила со мной на улице, у нее каблук застрял, я помог, и мы зашли в бар... там рядом. Мы пили коньяк и шампанское. Если она... если я ее...

— Давай без истерики, в случае чего мы были вместе, понял? Я все сделаю и сразу позвоню. Номер дома и квартиру помнишь? И приведи себя в порядок, — повторил.

...Он отпер дверь, почувствовав мимолетное облегчение — ключ и портмоне были на месте.

Квартира встретила его гулкой тишиной. Уже неделю он был один, Лена после очередного скандала уехала к матери.

Прямо в прихожей он стянул с себя одежду и сунул в пластиковую торбу, лежавшую на тумбе; отшвырнул торбу к двери, чтобы не забыть выбросить.

Босой, нагишом он отправился в кухню. Распахнул холодильник и достал бутылку водки. Стал пить, давясь и обливаясь, избавляясь от липкого страха. Мгновенно опьянел и побрел в ванную...

До вечера он пробыл в бессознательном тяжелом забытьи, между сном и явью; открывая иногда глаза, он видел над собой покачивающийся потолок. В желудке начинала царапаться голодная кошка, и он закрывал глаза.

Мысли были короткие, отрывочные, сквозь них как заклинания прорывались отдельные слова и фразы: сорвался, сошел с ума, попался на крючок, Пашка отмазал, опять...

В случае чего... что делать? Снова лечиться? Жрать сладковатые розовые таблетки, от которых выворачивает наизнанку? Или чего похуже? Второй раз не сойдет с рук...

Роб позвонил поздно ночью.

— Спишь? — спросил.

— Что, — выдохнул он, — говори!

— Все в порядке. Ты был у меня со вчерашнего вечера. Перепили, и ты остался ночевать. Утром я отвез тебя домой.

— А... — начал было он и запнулся.

— Все в порядке, — повторил Роб. — Слышишь? Выдохни. Вольно. Потом расскажу. Устал. Спокойной ночи.

Только сейчас он перевел дух и почувствовал, что голоден. Нашел в холодильнике мясо и сыр, достал из хлебницы черствый хлеб. Стал жадно глотать, не жуя, чувствуя, как отпускает внутри туго сжатая пружина и накатывает полуобморочное ощущение эйфории.

Роб все сделал. Роб надежный друг. Они вместе с детства, он не подведет.

Он поднял с пола пустую бутылку, потряс, «выжал» пару капель и чертыхнулся.

Ленка уничтожила все запасы, дрянь! Вылила в раковину. Воспитывает.

Он сжал кулаки: убить мало! Вспомнил, что в прикроватной тумбочке, кажется, есть что-то. Коньяк!

Снова пил торопливо, обливаясь и захлебываясь. Потом свалился в кровать и уснул мертвецким сном...

Глава 2
О богах и героях

Небьющаяся игрушка полезна для того,
чтобы разбивать ею другие.

Закон Ван Роя

— Суаре... Какое к черту суаре? Опять я поддался на твои репортерские заморочки! Что это такое, кстати? — недовольно спрашивал Олег Монахов своего друга журналиста Лешу Добродеева, недовольно же озираясь.

— Баранья нога! — отвечал Леша Добродеев, журналист самого популярного в городе печатного издания «Вечерняя лошадь», он же Лео Глюк.

Золотое перо отечественной журналистики, оно же бессовестное и привирающее, но кого интересует истина? И кто скажет, что такое истина?

Философы и другие ученые, даже физики с математиками, плавают в определении, прикрываясь всякими «если», «при условии» и «в случае». Из чего можно заключить, что безусловной истины не существует в природе. Аномалия. Разве что на уровне «дважды два четыре», а копни глубже — полная неясность и мрак!

Так что можно быть хорошим журналистом и при этом врать. Более того, вранье приветствуется, потому что вранье всегда интереснее голого факта. И опять-таки, вранье или фантазия?

Алеша Добродеев скорее фантазер, витающий в своих фантазиях, и что примечательно, он в них верит! Как у всякого журналиста, у него есть несколько «горячих» и любимых тем, таких, что, разбуди ночью, оттарабанит как по писаному: многоярусные подземные ходы в районе Елецкого монастыря и зарытые там клады, призраки зловещих Антониевых пещер, где он лично своими глазами видел бестелесного монаха и слышал леденящие кровь в жилах стоны, страшные преступления, загадочные убийства, а также всякие местные культурные события и сплетни. Еще летающие тарелки.

Любимое хобби, оно же маленькая слабость — страсть к публичным выступлениям, как то: открытие выставок, вернисажей, ярмарок, приветственные речи для иностранных гостей и местных юбиляров, встречи с поклонниками и продажа собственной книжки об истории города с подробным пересказом до полного выноса мозга и дарственными надписями всем желающим.

Хлебом не корми, дай... как это сейчас говорят? Попиариться! Во-во.

Леша Добродеев неутомим и подвижен, несмотря на внушительные размеры, оптимистичен и готов бежать куда угодно по первому зову. В отличие от Олега Монахова, Монаха для своих, друга и соратника, который часто мрачен, задумчив и недоволен отсутствием жизненного перца, интересных событий, количеством дураков в жизненном пространстве и часто впадает в хандру. В состоянии хандры он весь день лежит на диване, рассматривает потолок, думает и вспоминает, как он, эх, было время, каждую весну собирал неподъемный рюкзак, бросал жен и друзей и летел в пампасы, в Сибирь, в Непал, в Индию или на Алтай, задумчиво ходил босиком в благостных храмах с курящимися благовониями, ночевал в бедных лоджиях или жил в монастырях у улыбчивых безмятежных лам, убирал и рубил дрова, а по утрам любовался цветущими олеандрами на фоне заснеженных горных вершин и думал о вечности. Или подолгу сидел, набросив на плечи плед, у костра на берегу быстрого и холодного ручья, помешивая кипящую в казанке уху из выловленной собственноручно рыбешки, пробовал, добавлял соли, лаврового листа и перца. Слушал, как пошумливают верхушки столетних кедров, и думал о вечности. А потом засыпал сном праведника в палатке, и снились ему прекрасные сны, и он улыбался во сне, правда, наутро ничего не помнил. И ни Интернета тебе, ни телефона, ни автомобилей, ни соседей, ни женского визга — одна первозданность, а из плодов цивилизации всего-навсего несколько упаковок таблеток, навязанных Анжеликой Шумейко, супругой друга детства Жорика, которая всякий раз провожала его со слезами и не чаяла увидеть снова.

Анжелика хорошая женщина, но заполошная: чуть что — сразу в крик, но при этом оптимистка и добродушная пофигистка. Так что Жорику, можно сказать, повезло, плюс трое детишек: девчонки Марка и Куся и Монахов крестник маленький Олежка.

Монах лежит на диване, смотрит в потолок, вспоминает. Бродит мысленно по Сибири, один или с бродягами, беглым криминалом, браконьерами всех мастей, находя общий язык с самыми одиозными представителями человеческого отребья. Собирает целебные корни, грибы, ягоды и травы. А также рецепты народных и шаманских снадобий, заговоров и приговоров. Живет в палатке или под развесистой елкой, купается в проруби.

Однажды, потеряв тропу, он зимовал в землянке между небом и землей. Всяко было, и приятно вспомнить по возвращении в цивилизацию. И кровоточащие десны, и голод, выгрызающий кишки, и видения ангелов и дьяволов, манящих куда-то, и понимание, что все, амба! Приехали. И тут же неизвестно, откуда берущееся мощное, как ослепительный взрыв, звериное рычащее желание жить. Включающийся резерв, испытать который дано не всякому. Да и не всякий способен. Назовите это как хотите: адреналин, воля к жизни, драйв, химия, космическое второе дыхание, страсть, рык...

Кто пережил, запомнит и пересмотрит взгляды на жизнь в сторону оптимизма, а всякие жизненные ухабы и невзгоды покажутся ему сущим пустяком, уж поверьте.

Был Монах женат три раза на интересных, умных, добрых женщинах, но всякий раз наступал момент, когда он стаскивал с антресолей неподъемный рюкзак, и прости-прощай! Иногда пропадал на пару лет, а то и поболе. Возвращался задубевший, заросший, обветренный, отвыкший от цивилизации и полдня отмокал в ванне у гостеприимных Жорика и Анжелики, поливая себя шампунями и гелями, потому что брошенная жена на тот момент была замужем за другим.

Она бы с радостью вернулась, только позови, но Монах не звал. Он любил начинать сначала. Жизнь, работу, любовь.

Работа! Любимый препод в политехническом университете, восхищение студентов, готовая докторская, не сегодня-завтра защита — и вдруг все рухнуло в одночасье.

Рецидив утомления от цивилизации, острая фаза. Докторская побоку, что тем не менее не мешает Монаху рекомендоваться доктором физико-математических.

Маленькая человеческая слабость, кто из нас без греха?

Он стащил с антресолей рюкзак и...

Дальше по накатанной. Какая, к черту, докторская, если бес странствий толкает под локоть и посылает сны с картинками быстрой говорливой речки, столетними кедрами, цветущими олеандрами и заснеженными горными вершинами. Просыпаешься утром, а в груди тоска, и «глаза б мои не видели» ни толпы, ни вонючих механизмов на дорогах, ни соседа, уснувшего в лифте. А взять академические склоки? Лучше и не брать. Ребята, правда, хорошие, неглупые, понимающие. Куда потом это все девается, и на место чистого юношеского идеализма и горения приходит приземленность и погрязание в быте? Идиотские риторические вопросы, на которые много разношерстных ответов, но ни одного в формате «да—нет».

Приятно вспомнить посиделки под пивко в припортовом баре, треп о политике, судьбах мира, смыслах, споры с косноязычными работягами-докерами. Да-да в паршивой вонючей забегаловке в речном порту, а не в понтовом кафе где-нибудь в центре. Страсть к истокам и низам, так сказать.

Монах ностальгически вздыхает и трогает шрам под ключицей.

Да, да, и драки тоже! Вот ведь как получается — здесь думаешь про костерок у быстрой речки и «гори оно все пропадом», а там вспоминаешь...

А вот теперь подробнее, пожалуйста! Что вспоминает человек на берегу быстрой речки в полном уединении, без единой человеческой души на сотни км?

Деревья, звезды над головой, уха булькает, кто-то любопытный шуршит в кустах...

А? Как-то и вспомнить особо нечего. Не потому, что забылось, а потому что потерян интерес.

Неинтересно стало. Все неинтересно. Коллеги неинтересны. Кафедральные свары, даже драки в припортовом кабачке с претенциозным названием «Ностальгия»...

Ностальгия! Седло на корове.

В этом месте Монах всегда ухмыляется — грязноватая, воняющая разлитым пивом, затянутая сизым папиросным дымом шумная забегаловка, работяги в грязных робах, хриплые голоса и ненормативная лексика...

Романтика! Нет, драки можно вспомнить, очень даже. Драки вспоминаются с... ностальгией! Как упоенно они дрались! Вечный антагонизм, высокомерные ухмыляющиеся интеллектуалы против простых матерящихся работяг, а выпустив пар, мирились, утирали кровь и сопли и жадно приникали к литровым кружкам.

Эх, хорошо было! Это, пожалуй, можно вспомнить, это всегда интересно, типа, были и мы рысаками. А что еще? Любовь, ладно, тоже можно. Первая женщина... Черт! Кто? Как звали?

Монах копается в памяти, но, увы! Ушло, кануло...

Свадьба? В первый раз по неопытности, с толпой гостей с той стороны — а как же, а что люди скажут! Крики «горько», стриптиз-поцелуи, нетрезвые гости, звяканье стекла и пение частушек...

Помнится же всякая лажа. Ладно, что еще? Как под пиво разрабатывали с Жориком план умыкания ценной картины с виллы нуворишей, во всех деталях, ночью, со спорами и прикидками, стараясь предусмотреть всякие неожиданности, получая кайф от процесса, почти забыв о результате.

Еще — как в детстве мчались с Жориком на моторке отца, поднимая волну и вызывая проклятия рыбаков на берегу, и орали им: «Не давай зажирать!»

Вот и получается: детство, дружба, драки, треп за жизнь и немножко любовь. Творчество и риск.

Кстати, о грабеже. Грабеж прошел безукоризненно с технической стороны, но потерпел фиаско с общеобразовательной и культурной.

Учите матчасть, одним словом. Но все равно, это было дерзко и прекрасно![1]

Сейчас он на такое не способен, увы. Не в смысле хапнуть, что плохо лежит, а придумать такой прекрасный план и предусмотреть всякие мелкие детали. А драйв! Он до сих пор помнит ощущение опасности, мурашек по спине и восторг... Эх!

Время разбрасывать и время собирать, как говорится. Жизнь неторопливо тащится на наезженной колее, все нормально, никакого драйва — да и кому он нужен, — и ничего не предвещает, так сказать, но в один прекрасный момент появляются вдруг поволока и тоска в глазах Монаха, и смотрит он вдаль и отвечает невпопад.

Анжелика только руками всплескивает и горестно повторяет: «Опять? Вожжа под хвост? Сейчас сбежит! Жорик, скажи ему!»

«А чего я? Я ничего! — отвечает друг Жорик. — Я говорил, но ты же его знаешь!»

И добрая самаритянка Анжелика мчится в аптеку и закупает таблетки, раскладывает их в пакетики и надписывает: «от головы», «от температуры», «от горла и живота»...

Монах толст, дружелюбен и полон снисходительного любопытства к человечеству. Когда он, прищурясь, рассматривает вас, вам немедленно хочется выложить ему сокровенное и признаться в совершенной пакости. А почему? Потому что он волхв.

---

[1] Подробнее читайте об этом в романе Инны Бачинской «Ошибка бога времени».

Да, именно! Монах совершенно искренне считает себя волхвом. Не смейтесь!

Жорик тоже смеялся, а потом понял, что есть *что-то*. Есть! Анжелика приняла это *что-то* сразу. Добродеев, несмотря на шашни с пещерами и призраками, долго сопротивлялся, но в конце концов признал, что, да, ладно, возможно... черт его знает и «как ты это делаешь»? Тут и чтение мыслей, и выявление тайных желаний и вранья, и предчувствия, и просчитывание вариантов с всегдашним попаданием в десятку.

Было время, Монах практиковал как целитель и экстрасенс, и народ тянулся к нему и верил. А потом ему надоело и он бросил.

Рано или поздно он все бросает и улетает, как перелетная птица.

Увы, увы. Все в прошлом. Монастыри, заснеженные вершины, булькающая речка и размышления о смыслах.

Примерно год назад на Монаха наехал какой-то козел с купленными правами, причем на зебре, в результате у него была сломана нога, а потому прощайте, пампасы, и здравствуйте, депрессия и ипохондрия.

Уж как ни пытался записной оптимист Леша Добродеев, воробьем прыгающий по жизни, развеселить друга всякими дурацкими историями и городскими сплетнями, как ни пытался вытаскивать его на разные фестивали, карнавалы и мероприятия в честь знаменательных дат, Монах уперто не поддавался, а если все-таки поддавался, то все время ныл и жаловался.

Тем более вместо растянутой футболки и удобных китайских тапочек приходилось надевать костюм, бабочку и жмущие туфли и подравнивать бороду.

Леша даже подарил ему красивую трость с серебряным набалдашником в виде собачьей головы. Монах трость принял и собачью голову внимательно рассмотрел, но настроения она ему не подняла, даже наоборот, дала понять, что теперь он жалкий никому не нужный обезноженный калека с костылем.

Куда делся энергичный, деятельный, предприимчивый Монах с жизненным кредо: «Гни свою линию», в смысле: «Пусть пляшут под твою дудку» или: «Бери быка за рога». Куда? Был да весь сплыл. Все в прошлом. Пережито, забыто, характер портится и, главное, растет живот.

Но всегда есть лучик надежды на то, что проснется интерес к жизни, что произойдет в городе страшное событие и полиция окажется в тупике, и Леша Добродеев, который всегда в курсе, скажет: «Христофорыч, это для твоих серых клеточек, а *эти*, как всегда, в тупике».

Монах непременно махнет рукой: куда, мол, мне, но глазки вспыхнут.

Они и познакомились, между прочим, раскручивая дело об убийстве девушек по вызову и путаясь под ногами у следствия[1].

Дела давно минувших лет...

Нет, ну была еще парочка дел, интересных для математика и психолога. Была. А сейчас тишина, полный штиль и депрессия.

Добродеев, у которого душа болит за Монаха, орлом мчится на место преступления, как только заслышит, но всякий раз оказывается обычный мордобой и бытовуха, и *органы* могут справиться самостоятельно...

---

[1] Подробнее читайте об этом в романе Инны Бачинской «Маятник судьбы».

Глава 3
Красивая жизнь богемы

Я презираю спокойно, грустно,
светло и строго
Людей бездарных: отсталых, плоских,
темно-упрямых.

Игорь Северянин «Рядовые люди»

В данный момент Монах и Добродеев присутствуют на открытии ежегодного художественного вернисажа «Ветка падуба», детище мецената и владельца художественной галереи, спонсора и «проталкивателя» молодых беззащитных талантов Артура Ондрика.

Несколько раскрученных имен, много новых, и обязательно изюминка — полотно кого-нибудь суперизвестного, из личной коллекции, приобретенное за баснословные деньги, о чем упоминается невзначай.

При чем, спросит читатель, падуб к нашим широтам, тем более дело не под Рождество, а осенью, откуда подобная претенциозность?

У тех, кто знаком с Артуром Ондриком, подобных вопросов не возникает. Артур — меценат, как уже было упомянуто, и художник в душе со своим особым ви́дением, а также добрый самаритянин, безвозмездно помогающий молодым талантам. Одним словом, человек незаурядный и полный всяческих добродетелей. Не без мелких слабостей, конечно.

Артур, как и Леша Добродеев, да и любой околобогемный персонаж, любит покрасоваться, выпятить собственные достоинства, подчеркнуть собственную значимость, повторяя при этом: «Ну, что вы, я самый обыкновенный скромный человек, к чему эти излишества и на моем месте любой... точно так же!»

Ну, есть в нем это, есть. Маленькая человеческая слабость, причем не самая худшая.

...— Баранья нога! — сказал Леша Добродеев.

— Суаре — это баранья нога? Ты уверен? — усомнился Монах.

— Некий персонаж «Пиквикского клуба» спросил, что такое *суаре*, и ему объяснили, что это вечер с бараньей ногой. Он очень удивился: никогда не слышал, говорит, чтобы баранья нога называлась «суаре». — Леша Добродеев хихикнул, но на лице Монаха не дрогнул ни один мускул. Он не читал Диккенса, считая его многословным, а юмор несмешным, как и английский юмор вообще. — Ладно, тогда пусть будет прием, — разочарованно сказал Леша. — Просто прием или раут. Без бараньей ноги, но с шампанским и канапе. Причем для городского бомонда.

Журналист несколько тщеславен, правда, никогда в этом не признается.

— Терпеть не могу бомонд, — проворчал Монах. — Одни понты и выпендреж. Падуб! — Он фыркнул. — Лично я либерал, демократ и разночинец. И вообще, какого черта я здесь делаю? Шампанское терпеть не могу, пива нет. Канапе... тьфу! Куда ты меня привел?

— Я привел тебя посмотреть на людей и на картины, а то ты вконец одичал. Артур прикупил две новые картины американского авангардиста Марка Риттера, нашего земляка, между прочим. Его вывезли из страны еще ребенком. Он умер три года назад в возрасте девяноста лет. Есть вещи, которые нужно знать. Одна картина называется «Любовь и вечность»...

— Скелет с красной розой? — предположил Монах.

— Нет. Женщина в голубом тумане, в полутонах, символ надежды и обещание. С оранжевыми кругами и углами. Очень атмосферно, между прочим. Артур страшно гордится, правда, супруга закатила ему скандал, приревновала, решила, что она похожа на его первую любовь. Кстати, тоже интересная история! — Леша хихикнул. — Они то сходятся, то расходятся...

— Атмосферно! — фыркнул Монах. — Небось денег жалко, какая, к черту, ревность. Сколько?

— Двести штук зеленых.

— Сколько?!

— Это искусство, оно бесценно, — менторским тоном заявил Добродеев. — Я дал материалец в «Лошади», помнишь? А вторая — речной пейзаж, то, что запомнил ребенок, — маяк на обрыве, мост...

Монах дернул плечом и не ответил.

Живопись интересовала его постольку-поскольку, даже меньше, так как всякий раз при взгляде на картину он вспоминал, как они с Жориком Шумейко, поиздержавшись и сидя на мели, «брали хату» с целью умыкнуть некое полотно девятнадцатого века.

Картина оказалась подделкой, и у Монаха при воспоминании о неудаче загорались уши и портилось настроение.

Впрочем, читатель об этом уже знает. Теперь, когда вокруг висели по стенам несколько десятков картин, настроение Монаха стремительно летело вниз. Пессимизма добавляло то, что он как последний лох позволил графоману из «Старой клячи» надеть на себя ненавистную бабочку и затащить на чертов вернисаж.

«Там приличное общество, лучшие люди города, художники и актеры, интеллектуальная и бизнес-элита, — зудел Добродеев, — без бабочки никак, надо соответствовать!»

Хотя, если честно, ворчал Монах исключительно для виду, прекрасно понимая, что время от времени нужно делать над собой усилия, давать пинка и подниматься с безразмерного дивана, а то вконец одичаешь и потеряешь социальные навыки. И бабочка тоже усилие, победа над собой — ведь не силой же Добродеев надевал ее на шею Монаху. Тем более под бородой ее все равно не видно.

Кстати, Монах еще и дипломированный психолог — случился как-то порыв разобраться в себе и окружающих, наклеить ярлыки и просчитать поведенческие алгоритмы, и он занялся психологией.

В итоге понял, что эту науку может вполне заменить богатый жизненный опыт, кругозор и клепка в голове. Потом увлекся экстрасенсорикой и целительством, затем все бросил.

— Что он за персонаж? — спросил Монах, наблюдая передвижения мецената и хозяина галереи по залу.

— Артур? Ну, как тебе... — замялся Добродеев. — Начинал как архитектор и дизайнер, поднялся на строительстве замков для нуворишей, знаешь, такие, с башнями, флюгерами, красной черепицей. Ходили слухи, — Добродеев понизил голос, — что он крутит с левыми стройматериалами, а разницу кладет себе в карман. Но ему простится, он много делает для начинающих художников. Галерея досталась ему за копейки, это бывший конференц-зал Дома профсоюзов. Ну, конечно, вложился прилично. Сейчас приторговывает картинами. Гибкий, непотопляемый, проскочит между капельками...

— Какой-то он... — Монах запнулся в поисках слова. —

Какой-то он лакированный! Так и сверкает, как ходячая реклама. Картинами он торгует... тоже мне бизнес!

— Все мы ходячие рекламы. Чего-нибудь выпьешь? — спросил Добродеев, не подозревая о тягостных воспоминаниях приятеля, навеянных картинами.

— Шампунь? — с отвращением сказал Монах.

— У меня тут знакомый бармен, сейчас сбегаю, спрошу вискарика, будешь?

— Буду, — Монах хмыкнул, представляя себе бегущего журналиста. — Вискарик буду. Возьми тару побольше.

Он наблюдал, как крупный и внушительный... Да что там и к чему это кокетство и эвфемизмы! Скажем прямо: толстый! Крупный, внушительный и толстый Добродеев, властно раздвигая толпу, направляется к стойке бара, где крутился тонкий и гибкий малый, похожий на молодую щучку и вкупе на актера Адриена Броуди.

...— Где она? — спросил Монах, когда они со стаканами виски протолкались к картине американского авангардиста.

— Да вот же! — воскликнул Добродеев, взмахивая рукой. — В белой раме.

— Где женщина? — повторил Монах. — Не вижу! Где она?

— В каком смысле?

— В смысле лица, рук, бюста... и вообще, — пояснил Монах. — Не вижу. Туман вижу, синие и оранжевые круги вижу, женщину не вижу.

— Ты слишком прямолинеен, искусство — не фотография, а творчество, ты просто не готов! — Добродеев попытался отодвинуть Монаха от картины, но тот уперся.

— Я не готов? — Монах допил виски. — Я готов и хочу женщину! Только не надо заливать, что он так видит. Этот... как его? — Монах нагнулся над табличкой. — Марк Риттер! Постой-ка! — Монах вдруг замолчал, раздумывая. — Он умер в девяносто, а картина написана десять лет назад, получается ему тогда было под восемьдесят... Восемьдесят! Это объясняет туман, круги перед глазами и отсутствие женщины!

— Христофорыч, ты не прав! — Добродеев оглянулся, прикидывая, как оттеснить Монаха от прислушивающейся толпы. Ему было стыдно за друга. — Это авангард, это не для всех!

— Леша? Леша Добродеев? — раздалось у них над ухом. — Рад, рад! Любуетесь моей женщиной?

— Артур? — радостно изумился Добродеев, как будто присутствие организатора выставки у главной картины такое уж невиданное дело.

Мужчины обнялись и троекратно облобызались. Монах наблюдал с живейшим интересом.

— Мой друг, профессор Монахов. Мой друг Артур Ондрик, меценат и галерейщик, — представил их Добродеев.

— Весьма! — Монах щелкнул каблуками.

— Польщен, — сказал Артур. — Как вам моя женщина?

— Честно? — сказал Монах, почесав под бородой.

— Это замечательно! — затрепетал Добродеев, пытаясь заслонить собой Монаха. Но заслонить Монаха еще никому не удавалось. — Ничего подобного не видел, поздравляю, веха в исторической перспективе развития города... — зачастил Добродеев, но Артур перебил его, с интересом разглядывая Монаха:

— Честно!

— Я потрясен! — Монах закатил глаза. — Никогда ничего подобного! Он ваш родственник?

— Кто? — опешил Артур.

— Марк Риттер! Очень *атмосферно* и тонко! Зритель накладывает свое личное видение на его видение, и в итоге все видят совершенно разные вещи. Очень концептуально.

— Именно! Вы удивительно точно ухватили суть, господин Монахов. Леша сказал, вы профессор. Дайте угадаю. Философия?

— Математика, — влез Добродеев. — И психология.

— Леша всегда меня хвалит, — укоризненно попенял Монах. — Можно Олег, без официоза.

— Психология и математика! — воскликнул Артур. — Удивительное сочетание. Не все понимают, а я, когда увидел... не поверите! Кроме того, наш земляк. Все на его личном сайте. Биография, взгляды, творчество. Марка вывезли из страны еще ребенком, но всю жизнь он помнил родину, и его картины — отголоски детской памяти. Все это проступает еще отчетливее на втором полотне, тут вообще все размыто, словно в тумане, но узнать можно. Река, луг за рекой...

Добродеев кивал, внимая. На физиономии Монаха читался вопрос: каким боком авангардная женщина к детской памяти? Уж скорее погремушка или самокат. Кормилица с бюстом, на худой конец. Пейзаж — ладно, сюда можно прилепить любой ярлык: сны, мечты, воспоминания...

— Какие люди! — вскричал громкий мужской голос у них над ухом. — Артур! Леша Добродеев! А это... — Мужчина повернулся к Монаху: — Неужели господин Монахов? Сколько лет, сколько зим! Вы как, по делу или как любитель? Интересуетесь живописью? Насколько я помню, вы частный детектив? Надеюсь, картинки чистые? Или краденые? — Мужчина радостно заржал, давая понять, что шутит. Было видно, что он с трудом держится на ногах.

— Не смешно, — холодно сказал Артур после небольшой заминки. — Все бумаги в порядке.

— Господин Речицкий? — Монах пожал протянутую руку. — До сих пор помню ваше нефильтрованное пиво. Как бизнес?

— Пиво! Эка хватился! У меня теперь конезавод в Сидневе, приезжай, покажу. Приглашаю всех. Завтра же. И журналюга пусть приезжает, из «Лошади»! И ты! — Он хлопнул по плечу Артура и захохотал.

— Я занят! — холодно сказал Артур.

— Спасибо! Давно хотел написать о лошадях, — обрадовался Добродеев. — Мы приедем.

— Жду. А лошадей твой гений не рисовал? Мне бы для кабинета картинку.

— Эта подойдет, — сказал Монах, кивая на «Женщину». — При некоторой доле воображения на ней можно увидеть голубую лошадь.

Речицкий снова расхохотался и схватил Артура за рукав:

— Может, продашь? Сколько?

— Не продается, — процедил сквозь зубы Артур, отдирая от себя руку Речицкого.

— Ну и зря. А пейзажик? Хотя нет, пейзаж мне и даром не нужен. Что пьем? Вискарик? Зачетно! Пошли, я угощаю! — Он приобнял Добродеева, увлекая его к бару.

— Вы частный детектив? — Артур повернулся к Монаху. — Это правда?

— Громко сказано, — заскромничал Монах. — От нечего делать, люблю решать задачки и головоломки.

— Официально?

— В смысле, есть ли у меня лицензия? Лицензии нет, просто помогаю иногда... знакомым. Полиция не хочет вникать, а мне нравится покопаться.

— На этом можно заработать?

— Понятия не имею. Наверное, можно, раз они существуют. Еще могу репетитором. Вообще-то, я совладелец фабрики пищевых добавок...

— «Зеленый лист»? Знаю. Моя жена все время покупает у вас на сайте, худеет.

— Честное слово, все абсолютно безвредно, — заверил Монах.

Артур рассмеялся. Было видно, что он постепенно приходит в себя после общения с Речицким.

— Вы хорошо его знаете? — спросил он.

— Виделись один раз, совершенно случайно. — Монах понял, что Артур спрашивает о Речицком. — Он угостил меня своим пивом. Классное пивко, должен заметить.

— Скотина и хам! — раздул ноздри Артур. — Как напьется, так и лезет на рожон. Пару лет назад его чуть не убили в драке, и ничего! Отлежался и снова полез. Да и трезвый дрянь-человек. И его миньон, этот... двуликий Янус с идиотскими шуточками! Я бы не удивился, если бы в один прекрасный момент ему припомнили все. Дима Щука до сих пор не может успокоиться, он остался должен ему приличную сумму. А Речицкий — городской псих! Не завидую его лошадям.

Теперь рассмеялся Монах. Он не понял, кто такой двуликий Янус, и подумал, что надо будет спросить у Добродеева...

Он нашел Добродеева в компании Речицкого и незнакомого мужчины, которого звали Кирилл Юшкевич.

— Купил мое пиво! — сообщил Речицкий. — Теперь спрашивай с него. Между прочим, у него жена красотка, где-то тут. Везет мужику.

— Мы знакомы, — холодно произнес Кирилл.

Был это красивый белобрысый мужчина с зализанными назад волосами и с видом весьма высокомерным.

— Не припоминаю, — сказал Монах. — Но все равно рад.

— Мы встречались насчет вашей фабрики, я присматривал...

— Вспомнил! — воскликнул Монах. — Вы хотели ее купить.

— Помню вашего партнера... Георгий, кажется?

— Жорик! Точно. Он потом сказал, какой замечательный человек! Сразу видно, из центра. Вы, кажется, не из местных? Переехали... дайте вспомнить!

— Не важно, — перебил Речицкий. — Переехал и переехал. Ларочка! — вдруг закричал он, бросаясь в толпу, неспешно фланирующую мимо. Выхватил молодую темноволосую женщину в синем платье, обнял, расцеловал. — Это Ларочка, прошу любить. Кирилл, где ты нашел такое чудо?

Женщина вспыхнула и смутилась. Высвободилась из рук Речицкого, взглянула на мужа. Тот исподлобья мерил бизнесмена взглядом.

— Это Олег Монахов, это Леша Добродеев, ваши верные почитатели, правда, господа? — Речицкого несло.

Он был изрядно на взводе, и чувствовалось, что еще немного, и он взорвется. Добродеев заверил, что правда поцеловал Ларе ручку и забросал вопросами, как ей тут, в нашем скромном городишке, и если нужна помощь, то ради бога! Он всегда распускал хвост при виде красивой женщины.

— Бывали у нас раньше? — спросил Монах, с удовольствием ее разглядывая.

— Нет, — Лара улыбнулась. — Кирилл бросил монетку, и вот мы здесь. Мне у вас нравится. Река, луг... все время любуюсь с балкона.

Добродеев, разумеется, тут же предложил свои услуги. Речицкий оттеснил его и сказал, что он первый на очереди, что прозвучало двусмысленно. О Кирилле забыли.

Знаток человеков Монах с удовольствием наблюдал.

Разгоряченный Добродеев собирался ответить, но тут к ним подошел длинный и тонкий мужчина, обнял Речицкого за талию и, извинившись, увлек его прочь. Монах был разочарован...

Глава 4
Скромное обаяние кулуарного трепа

Вонзите штопор в упругость пробки –
И взоры женщин не будут робки!

Игорь Северянин «Хабанера II»

Монах и Добродеев уютно устроились за столиком в углу, неторопливо цедили виски, рассматривали и обсуждали публику. Вернее, не столько обсуждали, сколько Добродеев выкладывал сплетни и слухи, а Монах с удовольствием слушал и задавал уточняющие вопросы. К ним время от времени подходили знакомые

Добродеева, подсаживались на минуту-другую, перебрасывались парой фраз и отчаливали, а журналист сообщал Монаху подробную биографию подходившего.

— Артур Ондрик — меценат и позер, но мужик невредный, обожает публичность, закатывает вернисажи не столько из-за молодых дарований, — тут Добродеев иронически хмыкнул, выражая скептицизм по поводу «дарований», — сколько из-за желания покрасоваться и сорвать аплодисменты. Актер из него не получился, художник тоже... да-да, баловался по молодости, но, увы! Не пробился, говорит, никто не поддержал и не протянул руку помощи, так теперь в отместку жестокой судьбине он помогает пробиться другим. Картины американца купил тысяч за тридцать, а то и меньше, теперь сделает рекламу, раскрутит и продаст за триста. Такой бизнес, но это между нами, доказательств у меня, как ты понимаешь, нет. Местные коллекционеры с руками оторвут. Нувориши, никакого понятия о подлинных ценностях, одни понты, что с них взять. Но мужик неплохой. Володя Речицкий — скандалист, бретер и ловелас. Три раза женат...

— Это не показатель, — заметил Монах. — Мало ли кто был женат три раза. Он так смотрел на нее, на эту Лару... сожрать готов! Глаз горит.

— Ага. Красотка, а супруг бука. Если бы не Яша Ребров, точно была бы драка. Яша у него на подхвате, чуть что, уводит.

— Двуликий Янус! — вспомнил Монах. — Он?

— Он самый. Речицкий дерется и скандалит в публичных местах, на счету с десяток приводов, нанесение увечий средней тяжести и многое другое. Пашка Рыдаев нажил на нем целое состояние. Но талантлив, собака, ничего не скажешь! Пивзавод процветал, продал, прилично наварил. Это тебе не Артур с его картинным бизнесом. Теперь конезавод. Завтра же смотаемся в Сиднев, люблю лошадок. — Монах ухмыльнулся, вспомнив название бульварного листка, но промолчал. — Артур его ненавидит, говорят, у Володи был роман с его супругой. А ты его хорошо знаешь?

— Виделись как-то раз. Он не дрался и не матерился, держался в рамках. Правда, послал боша, который ставил пивной цех. Но тот говорил только по-немецки и не врубился. Угостил меня классным пивом. Мне он показался нормальным мужиком, и я не понимаю...

— Говорили, Речицкий соблазнил ее, а Ондрик узнал...

Тут его прервали. На свободный стул рядом с ними рухнул изрядно подвыпивший крупный мужчина с длинными патлами и камерой на груди и радостно пробасил:

— Привет честной компании!

— Иван! — обрадовался Добродеев. — Иван Денисенко! Выдающийся художник и мастер фотографии, лауреат и победитель... Ванюша! Сто лет тебя не видел! — Растроганный и обрадованный Добродеев через стол обнимался с мужчиной с камерой. — А это мой друг, профессор Олег Монахов.

Иван Денисенко картинно прижал руки к груди и уронил голову на грудь.

— Весьма! — сказал Монах. — Видел вашу выставку с мусором, был впечатлен. Потрясающая выставка.

— У Ивана особое видение, — сказал Добродеев. — Он ни на кого не похож. Ванюша, посидишь с нами? Что нового? Над чем работаешь? — Он махнул официанту и спросил: — Коньяк? Виски?

— Пива, — сказал Иван хрипло. — Холодненького!

— Мне тоже, — обрадовался Монах. — Терпеть не могу виски, только из-за уважения к Леше. Между нами, он страшный сноб. Как вам картины Марка Риттера? Как художнику?

— Дерьмо! — сказал Иван, не понижая голоса. — Я вам таких баб в кружках сотню намалюю. Артур дурью мается, я ему говорил. Такие деньжищи вбухал. И не надо ля-ля про в́идение, то-се... Дерьмо! И остальные картины этого Марка тоже дерьмо, я видел на сайте, специально полез. Пейзажик ничего, но не фонтан. Вся ценность в местной тематике, ностальгия, ретро... всякая лабуда. Наши местные на голову выше. Возьми Диму Щуку! Жаль, спивается парень. А какой талант был! А Марк Риттер — дерьмо!

— Браво! — обрадовался Монах. — И я того же мнения.

— Дерьмо! И что интересно... — Иван на миг задумался. — Он правда торчит или притворяется? Если притворяется, то на хрен? Для рекламы?

— В корне не согласен! — воскликнул Добродеев. — Иван, не ожидал от тебя!

— Да ладно тебе, Леша! Дерьмо, оно и есть дерьмо. А ты какой профессор? — Иван повернулся к Монаху.

— Физико-математических и психология.

— Ага, у меня друг тоже профессор, только философии, классный чувак! Умный, аж страшно, каждый день бегает в парке, студентки проходу не дают, нигде ни грамма жира... — Иван вздохнул и похлопал себя по изрядному животу. — А картина эта...

— А над чем ты сейчас работаешь? — поспешно перебил Добродеев.

— Я? Неживая натура. *Предметизм*.

— Предметизм? — удивился Добродеев. — Никогда не слышал. Это что?

— Мой стиль. В смысле, предметы. Чучела и манекены, всякая нежить. Как отражение мира живых. Чем больше работаю над темой, тем больше убеждаюсь, что все неоднозначно и у них своя тайная жизнь. Собака, писающая на голый унисекс-манекен, — вообще шедевр! Буль с мрачной мордой и поднятой лапой, представляешь? И смотрит на зрителя.

Над столом повисла пауза. Монах и Добродеев переглянулись.

— Да, очень интересно, — промямлил Добродеев. — А мы собираемся к Речицкому на конезавод, хотим лошадок посмотреть.

— Я с вами! — обрадовался Иван. — Он меня давно приглашает, да все как-то руки не доходили. Речицкий фигура, я фотографировал его мисок, а теперь лошадей. Обожаю! Давайте за лошадей! — Иван достал из кофра бутылку финской водки.

— А пиво? — спросил Добродеев.

— Вместе!

Монах хотел уточнить насчет «мисок» Речицкого, но тут к ним подошел Артур и спросил:

— Он уже облил грязью мои картины?

— Облил, будь спок. Будешь? — спросил Иван. Он ловко сковырнул крышку и разлил водку в стаканы. — За настоящее искусство!

— За лошадей! — напомнил Добродеев.

— За лошадей в настоящем искусстве!

Они выпили. Иван начал рассказывать анекдот про мужика с оранжевым пенисом, при этом очень смеялся, в конце концов сбился, нахмурился и замолчал. А потом и вовсе уснул, прислонившись к стене.

Потом к ним по очереди подходили знакомые Добродеева, тот обнимался с ними, а с некоторыми целовался. Монах только головой качал и ухмылялся — он ни за какие коврижки не стал бы целоваться с мужчиной, с его точки зрения, вполне достаточно пожать руку.

Впервые за долгое время ему было хорошо. Он был пьян и расслаблен, а толпа вокруг являла великолепные типажи для рассмотрения: было много толстых и пузатых мужчин, что радовало, и красивых женщин, что тоже радовало. С открытыми плечами и глубокими декольте, на высоких каблуках, с тонкими лодыжками.

У Монаха глаза разбегались. Добродеев болтал с подходящими к ним о всякой дурацкой ерунде, а потом полушепотом передавал Монаху сплетни о ветвистых рогах, адюльтерах, семейных скандалах и романах на стороне.

Голова у Монаха шла кругом от виски, пива и водки, а также от смачных добродеевских историй.

Они хорошо сидели. Добродеев взахлеб сплетничал; Иван Денисенко мирно спал, время от времени всхрапывая; Монах слушал вполуха и рассматривал женщин.

Меж тем около бара разгорался скандал. Там кричали и били посуду.

Добродеев встрепенулся, сделал стойку и рванул в направлении бара. Иван продолжал спать.

Монах с удовольствием пил пиво и думал, что даже на таком приличном *суаре* случаются драки, а *устроителям* не следовало *устраивать* бар, а подавать только апельсиновый сок и кока-колу.

До него долетел рев, в котором можно было разобрать «барахло», «сука» и «убью», которые, видимо, выкрикивал скандалист.

Скандал угас так же внезапно, как разгорелся. Монаху было видно, как два здоровенных секьюрити потащили смутьяна из зала, и порядок был восстановлен.

Спустя пару минут вернулся возбужденный Добродеев.

— Ну что там? — благодушно спросил Монах.

— Димка Щука бузит!

— Что за персонаж?

— Наш городской «анфан террибль»! Богема! Слышал, что он орал? Был неплохой художник, но спился. Его никуда не приглашают и не пускают, не понимаю, как охрана прощелкала. И так всякий раз, помню, однажды на выставке в Доме художника он тоже закатил скандал, обозвал всех бездарями...

— Что случилось? — проснувшийся Иван Денисенко захлопал глазами. — Вроде какой-то шум, Леша, ты не в курсе?

— Дима Щука подрался с охранниками.

— Димка? — Иван захохотал. — Гигант! Какое сборище без Димки! Помню, однажды он ввалился сильно подшофе на мою персональную выставку и наделал шороху! Потом извинился, и мы с ним посидели у Митрича. Хороший художник был, а теперь спивается. Начинал как реалист, пробовал себя в импрессионизме, кубизме... не отличишь от мэтров, валял дурака... Жена бросила, не поверите, он плакал у меня на груди как ребенок. Я говорил, радуйся, художник должен быть свободным, посмотри на меня!

Сам Иван был женат не то три, не то четыре раза...

Под занавес к ним подошла компания — длинный тонкий мужчина в белом костюме с бойкой физиономией жиголо и зачесанными назад блестящими черными волосами — тот самый, что увел Речицкого от греха подальше и которого Артур Ондрик обозвал двуликим Янусом, — и две очаровательные девушки, блондинка и рыжая.

Добродеев радостно представил его Монаху, назвав создателем женской красоты.

Монах не врубился, о чем речь, и спросил, пожирая девушек глазами:

— В каком смысле? Визажист?

Девушки захихикали.

— Яков Ребров — руководитель фонда культурного наследия, устраивает конкурсы красоты «Мисс города», — объяснил Добродеев. — Кстати, Речицкий выступает спонсором. А это мои друзья, профессор Монахов и дипломированный художник-фотограф Иван Денисенко, лауреат и чемпион, вы должны его знать.

— Прекрасно знаем, — заявил руководитель фонда тонким сиплым голосом. — А как же!

Дипломированный фотограф снова мирно спал, прислонясь к стене, и не отреагировал никак.

Добродеев потряс фотографа за плечо. Тот всхрапнул, но не проснулся.

— Алексей Добродеев! — Журналист повернулся к девушкам и щелкнул каблуками: — Ваш покорный слуга. Прошу любить и жаловать. Он же Лео Глюк! Должно быть, вы читали мои репортажи.

Девушки снова хихикнули.

Было похоже, они не имеют ни малейшего понятия ни о Леше Добродееве, ни о Лео Глюке.

— Миски! — воскликнул Монах, хлопая себя ладошкой по лбу. — Конечно!

— Очень приятно, рад! — Руководитель фонда протянул Монаху руку с массивным серебряным перстнем на среднем пальце. — Леша много о вас рассказывал. — На лице Добродеева отразилось удивление. — Анфиса! — он подтолкнул вперед блондинку. Та сделала шутливый реверанс. — Одри! — Рыжая девушка нагнулась и громко чмокнула Монаха в щеку. — Мои подопечные. Прошу, так сказать.

— Я тоже рад! Очень! — затрепетал Монах, не сводя взгляда с Одри, и спросил светским тоном: — Как вам картины, господа?

Яков Ребров оглянулся и сказал, понизив голос:

— Дерьмо! — Девушки расхохотались. — И что самое интересное, этот жулик всегда находит идиота, который платит за них сумасшедшие бабки. Отработанный алгоритм: покупка века, агрессивная реклама, клятвы, что никогда и ни за что не расстанется, и продажа с приличным наваром. Кроме того, врет насчет цены. Еще неизвестно, что такое этот Марк Риттер, и если хорошенько покопаться...

Одним словом, компания подобралась что надо. Яков рассказывал всякие смешные истории из своей практики, девушки хохотали и в рискованных местах шлепали его по рукам. Леша Добродеев по-новой вываливал городские сплетни, изрядно привирая и поминутно повторяя, что он, как порядочный человек, не может назвать имен, мол, «сами понимаете!», но «поверьте, вы его (или ее) прекрасно знаете!».

Монах оживился, забыл об ипохондрии и депрессии и был счастлив. Он даже получил пальму первенства за самую интересную историю, рассказав о своих памирских странствиях, укусе королевской кобры, буддийских дацанах с золотыми буддами и храмовыми жрицами, сплагиатив самые яркие куски из «Индианы Джонса».

Одри снова поцеловала его и сказала, что всю жизнь мечтала попасть в буддийский монастырь и хоть сию минуту готова все бросить и сбежать с ним.

И так далее, и тому подобное.

Глубокой ночью Добродеев доставил Монаха домой. Они постояли у подъезда, вдыхая прохладный ночной воздух и рассматривая яркую кривоватую луну. Домой не хотелось, душа была полна томлений и неясных сожалений о несбывшемся.

— Луна! Смотри, Леша, какая луна! Совсем как настоящая. Сто лет не видел луны, — ностальгически сказал Монах.

— Ага, луна, — сказал Добродеев. — Классно посидели. Не жалеешь? Телефончик взял?

— Не жалею. Взял. Спасибо, Леша, поддержал старика.

Добродеев фыркнул иронически, но, к разочарованию Монаха, не стал утешать и утверждать, что тот еще о-го-го и «какие наши годы», а просто приобнял его на прощание и побежал к ожидающему такси.

А Монах все стоял, задрав голову, рассматривал луну и вздыхал. Вспоминал первозданную тишину векового леса, костерок и быструю речку. Потом мысли его плавно перетекли к красотке Одри, не очень умной, но очень милой и заводной. Что, в свою очередь, подталкивало к философским размышлениям на тему: умные или красивые, что также ставило перед выбором: ты с кем? Дурацкий вопрос, разве не ясно?

Монах смотрел на луну и улыбался...

Глава 5
После бала

В наш подлый век неверен друг любой...
Тот, на кого ты в жизни положился, —
Всмотрись-ка лучше — враг перед тобой.
Омар Хайям «В наш подлый век...»

Артур Ондрик был доволен. Мероприятие удалось на славу. Завтра выйдет репортаж Леши Добродеева, интервью на ТВ, все билеты были раскуплены, благотворительный сбор превысил ожидания. Завтра... сегодня уже, на сайте «Ветка падуба» появится отчет о вернисаже с работами Ивана Денисенко и блиц-интервью гостей.

Идея с Марком Риттером оказалась плодотворной, полотном заинтересовался Боря Залкин, наваривший миллионы на вывозе в Китай металлолома.

Артур помнит его плохо одетым, с бегающими глазами владельцем кондитерского цеха, чьи пирожки с кошатиной и повидлом продавались по всему городу. А потом вдруг случилось прекрасное превращение — Боря сообразил насчет металлолома.

Дальше по восходящей: дорогая иномарка, квартира в центре, еще одна и еще, трехэтажный домина в престижном пригороде, вилла в Италии и дети в английском колледже. Теперь пришло время собирать антиквариат, иконы и картины.

Боря заинтересовался картиной, крутился вокруг, фоткал, чуть не нюхал и расспрашивал о цене; пер буром и даже начал торговаться.

Он, Артур, был тверд: не продается! Не продается, и баста, самому нужно.

Ничего, пусть клиент дозреет, никуда он не денется.

Он даже намекнул Боре, что картиной интересуются не последние люди, *типа* очередь стоит, так что в любом случае ему не светит.

Боря цепкий торгаш, чующий запах денег, но в искусстве полный ноль, что есть хорошо.

Были и неприятные моменты, куда ж без них.

Яков Ребров, этот сутенер и шестерка Речицкого, подпортил торжество, плевался ядом и намеками...

Подонок! И Речицкий подонок! Они снова едва не подрались.

Артур сжал кулаки и раздул ноздри, вспомнив роман бизнесмена с Зоей, женой... Они вскоре развелись, и она уехала из города. Потом вернулась, и они помирились, но осадок остался.

Зоя часто остается у мамы, вот и сегодня утром сказала, что плохо себя чувствует и домой не вернется.

Артур до сих пор не может успокоиться, и его ненависть к Речицкому, этому... ковбою и подонку, не утихает, а становится сильнее. И самое неприятное, что он из шкуры лезет, чтобы доказать ей, что он лучше, порядочнее, образованнее, чем... этот.

Это превратилось в идефикс, он понимает, что не следует, что это недостойно, но ничего не может с собой поделать, говорит гадости и передает ей все сплетни о сопернике. Он чувствует, что она ненавидит его, да и от его любви ничего не осталось...

Полгода назад они подрались в «Английском клубе», и эта сволочь разбила ему лицо!

Артур помнит, как стоял окровавленный, ничего не соображая от боли, а Речицкий с ревом молотил его кулаками. Помнит перекошенную от ненависти физиономию врага и женский визг...

Подводя итоги, однако, можно сказать, что вечер удался. Несмотря на перепалку под занавес с Речицким. Во всех отношениях вернисаж — выдающееся культурное событие. Полотно Марка Риттера стало бомбой, кому надо, заинтересовались и оценили; молодые таланты вышли из тени, кое-кто сумел продать свои работы. Они останутся на выставке до закрытия, и только потом новые владельцы получат их «живьем», так сказать. А пока на них повисит табличка «продано».

Артур провожал гостей, выслушивал добрые слова и пожелания, улыбался, пожимал руки, его похлопывали по плечу, он отвечал тем же.

Уставший, нетрезвый, испытывая лишь одно желание, вернее, два — горячий душ и в постель, — он переступил порог пустой и темной квартиры, небрежно бросил на тумбочку легкий плащ. Замер настороженно, заметив картонный прямоугольник размером чуть побольше бизнес-карточки, выскользнувший из кармана. Нагнулся, поднял, недоуменно повертел в руках — это была открытка в восточном стиле: вереница разноцветных журавликов по диагонали, внизу слева покрупнее, в правом верхнем углу совсем крошечных, а в центре мраморная скульптура — зверь с красными ушами и оскаленными зубами.

Артур стоял долгую минуту, рассматривая открытку, потом перевернул, надеясь увидеть послание, но обратная сторона картонного прямоугольника была девственно чиста.

Зверя он уже видел... оборотень! Точно. Кицуне![1] Лисица-оборотень, символ обмана.

---

[1] К и ц у н е — персонаж японского фольклора, разновидность демона-оборотня.

Ах ты, дрянь! Он знал, кто сунул открытку ему в карман. Смял ее и отшвырнул...

...Он прошел по квартире, зажигая везде свет. Так ему казалось, что он не один. Эффект присутствия... Нет, иллюзия присутствия... кого-нибудь.

Зоя у матери, после того случая они стали чужими. Он простил ее, он пытается забыть, он делает над собой усилия, а она не ценит. Они хорошо жили, и вся жизнь коту под хвост из-за этого ничтожества! Бабника и фата Речицкого! Вокруг него всегда крутятся какие-то сомнительные особы женского пола — Артур не упускал случая поиздеваться над всеядностью пивовара, которого всегда тянет в грязь.

Зоя всегда соглашалась с ним... во всяком случае, не спорила. А потом грянул гром! Его добрая знакомая и смотрительница галереи Лидия Гавриловна увидела Зою и Речицкого вместе. Их дома́ рядом.

— Вы, Артик... — она называла его Артиком, а он ее Мальвиной — за голубые локоны, мысленно, разумеется. — Вы, Артик, должны знать кое-что, — сказала Лидия Гавриловна. — Я колебалась, я никогда не лезу в чужие дела, вы же знаете, но потом подумала, что вам все-таки следует знать.

Ондрик ухмыльнулся, не почувствовав худого: она не лезет в чужие дела, можно подумать! Еще как лезет! Первая сплетница на деревне. Ничто в нем не замерло от предчувствия, он был доволен собой, успешен, занят любимым делом.

— Ваша жена встречается с Речицким, они приезжают днем на его машине, а через три часа он отвозит ее в город.

Мальвина смотрела на него с садистским любопытством, наблюдала, как меняется его лицо. Артур стоял как парализованный, не в силах выговорить ни слова, у него даже в глазах потемнело. Зоя и Речицкий? Не может быть! Только не Речицкий, над которым он издевался, рассказывая Зое про дешевых дамочек, которые не могут устоять против этого мачо. Он был низвергнут. Он сразу поверил ей, обвинение было серьезным.

— Французы говорят, мужья узнают обо всем последними, — забивала последние гвозди в его гроб Мальвина. — Возможно, мне следовало промолчать, но адюльтер — это серьезно, я решила, что вам нужно знать. Вы достойный человек, Артур, и я не хочу, чтобы вас называли рогоносцем и смеялись над вами. Обманутые мужья смешны! Обманутые мужья — герои анекдотов. Тем более я не уважаю Речицкого, у этого человека раздутое либидо мартовского кота и грязная репутация.

Артуру казалось, что она воткнула в него нож и с каждой фразой проворачивает его, как ключ в замочной скважине. Глубже, сильнее, больнее...

— Присядьте, Артик, я сделаю вам кофе, — сказала Мальвина, удовлетворившись результатом. — На вас лица нет.

Она выплыла в подсобку и загремела посудой. Артур упал на стул и стал вспоминать.

Зоя изменилась; стала молчаливой; перестала интересоваться его работой, ни о чем не расспрашивала; на попытки близости с его стороны говорила, что плохо себя чувствует. Все говорит о том, что у нее есть любовник, а он, Артур Ондрик, несчастный самодовольный слепец. И дурак.

У него сжались кулаки при мысли, что они смеются над ним. В постели, после секса.

В последний раз он видел Речицкого пару недель назад, они столкнулись на площади, обменялись рукопожатиями, постояли.

Речицкий спросил, когда вернисаж и что новенького в галерее.

Артур отвечал серьезно и обстоятельно, Речицкий внимательно слушал. Лицо его было серьезно, он кивал, а внутри смеялся над ним и вспоминал, как они с Зоей...

Подонок! Подлый подонок! И Зоя не лучше...

Он ушел, не дождавшись кофе. Он не мог видеть Мальвину, он с удовольствием придушил бы ее, прекрасно понимая, что она тоже смеется над ним. Все, кто его знает, смеются над ним!

Он вернулся домой в неурочное время. Жена была дома, но собиралась выйти. Он отметил белый нарядный плащ и шелковый шарф, синий в розовых тюльпанах, который сам подарил ей. От нее пахло духами, которые были тоже его подарком.

— Ты уходишь? — спросил он.

— Выйду, пройдусь, что-то голова разболелась...

Бессовестная, она смотрела на него с улыбкой, а он готов был рычать от негодования. Голова разболелась! Всегда одно и то же! Классика. Она отказывает ему в сексе, потому что разболелась голова, спешит к любовнику, а мужу врет, что идет пройтись, все из-за той же несчастной больной головы!

— Хочешь, я пойду с тобой? — спросил он.

— Не нужно, не беспокойся. — Она погладила рукой его щеку. — Я ненадолго.

Это было слишком! Он вдруг почувствовал такую леденящую ненависть к ней, что готов был ее разорвать.

— Ты никуда не пойдешь. — Он встал между ней и дверью.

— Я же сказала, что мне нужно пройтись! — Зоя повысила голос: — Пусти!

И тогда он сказал ей то, чем гордился до сих пор, так и вмазал:

— Если ты сейчас уйдешь, можешь не возвращаться. Иди! — Он посторонился, давая ей пройти.

Только сейчас она почуяла неладное, тревожно всмотрелась в его лицо. Молча сняла плащ, повесила на вешалку и пошла в гостиную. Села на диван. На него она больше не смотрела. Он стоял на пороге, испепеляя ее взглядом. Палач и судья.

— Ты думала, я не узнаю? Ты спуталась с этим подонком Речицким! Чего тебе не хватало? Я дал тебе все! Шмотки, заграницу, дом... Дрянь! Шлюха! Ненавижу!

Он, не помня себя от боли, хлестал ее, не выбирая слов, желая лишь одного: причинить ей боль.

Зоя закрыла уши руками и закричала:

— Перестань! Я уйду! Я ни минуты с тобой не останусь!

Она вскочила и побежала из комнаты. Артур пошел за ней. Опираясь о косяк, он смотрел, как она набивает чемодан, швыряя туда сорванные с вешалки платья, юбки, свитера.

— Неужели он сделал тебе предложение? — спросил с издевкой. — Поздравляю, будешь пятой женой. Самое главное в жизни — любовь, я понимаю. Не работа, не семья, не обязательства, а любовь. — Он помолчал, потом добавил: — Не забудь оставить ключи. — Повернулся и вышел из спальни...

Он сидел в кабинете, слепо уставившись в экран компьютера, ничего не видя. Прислушивался, пытаясь понять, где она и что делает, но в квартире было тихо. Он ожидал, что хлопнет входная дверь, но время шло, а в квартире по-прежнему было тихо.

Если бы его спросили, хочет ли он, чтобы Зоя ушла, он затруднился бы с ответом. Он хотел, чтобы все было как раньше, и понимал в то же время, что так, как раньше, уже не будет. Они были женаты двенадцать лет, он был влюблен и счастлив... Проклятый Речицкий!

...Она лежала в спальне, не включая свет. Он сгреб свою постель и пошел назад в кабинет. Он больше не испытывал ненависти, а только звенящую гулкую пустоту.

Забыться ему удалось только под утро. Разбудил его запах кофе. Зоя в кухне готовила завтрак — его любимые блинчики с клубничным вареньем. Он хотел преувеличенно удивиться, что она еще здесь, но настроения не было. От лежания на неудобном диване ломило шею и плечи. Он сел за стол; она поставила перед ним тарелку с блинами и чашку.

Они смотрели друг на дружку.

Она отвела глаза и сказала:

— Ты меня ненавидишь?

Ему бы ответить твердо: «Да!» Но ненависти он больше не чувствовал, а только одну усталость и поэтому сказал:

— Не знаю. Ты остаешься? — Это прозвучало, как просьба.

Она пожала плечами...

Ничего хорошего из этого, разумеется, не вышло. Они стали чужими. Зоя все чаще уезжала к матери в Зареченск, он перестал делиться с ней новостями о галерее.

Казалось бы, зачем им такая жизнь, разбегайтесь, есть вещи, которые не склеить, но они все держались вместе. По инерции, должно быть. Зоя почти не выходила из дома, и Артур понял, что с Речицким она больше не видится. Она ли перестала встречаться с Речицким, он ли с ней — без разницы, они стали чужими...

Глава 6
После бала
Часть вторая

Люди всегда удивляются событиям,
которых ждали.

Из законов о разном

— ...Наконец-то я увидел весь городской бомонд во всей красе!

Кирилл Юшкевич, тот самый чужак, что купил пивоваренное предприятие Речицкого, разговаривал с супругой через открытую дверь ванной комнаты. Лара — так ее звали — уже легла, слушала молча, никак не реагируя на слова мужа.

— Речицкого мы уже знаем, скотина и бабник, хватал тебя, я чуть не дал ему в морду. Хорошо, что тот, с девицами, его увел. Ну, и рожа! Непонятно, что их связывает. Речицкий, конечно, скандалист, кое-что я уже слышал, репутация та еще, при этом, что удивительно, жесткий деловар. А этот, с девицами, похож на содержателя массажного салона! На редкость неприятная физиономия, типичный сутенер. А девицы, девицы! Древнейшая профессия прямо на лбу, жрицы продажной любви. — Кирилл расхохотался. — Местные вкусы очень невзыскательны.

Женщины — провинциалки, ни стиля, ни шика. Ты была самой элегантной, я тобой гордился. Все на тебя так и пялились. Мы покажем им, что такое европейский стиль. Кстати, Речицкий представил меня парочке местных предпринимателей, у одного магазин электроники, китайских дешевок, скорее всего, у другого несколько ресторанов, очень приглашали забежать как-нибудь. Еще бы!

Лара молчала, лежала, сжав кулаки. Но Кириллу ее ответы не требовались, он привык слушать и слышать только себя.

— Артур, хозяин вернисажа, мне понравился, идеалистов в нашем прагматичном мире все меньше, их всех надо в Красную книгу. Среди молодежи есть интересные ребята, помнишь, картину с воздушными шарами? Красное с голубым. Что-то похожее я уже видел, но смотрится мило. Можно в гостиную, там не помешает яркое пятно. Я сделал предложение. И фиалки в белой чашке с отбитой ручкой — тоже ничего. Интересная идея — не в вазе, что банально, а в простой чашке. Еще парочка пейзажей. Остальное ерунда. Картины Марка Риттера, конечно, для них событие. Не думаю, что он выложил двести тысяч, хотя... Американский авангард всегда в цене. Смотрится неплохо. Цветопередача, композиция... Я бы не отказался. Спросил у него, сколько, он ни в какую. Ну да еще не вечер! — Кирилл снова рассмеялся.

Лара продолжала молчать, лежала с закрытыми глазами. Она устала и хотела спать.

Кирилл, наоборот, был пьян и возбужден — как всякой «сове», ночью ему хотелось болтать. Он уже стоял посреди спальни в распахнутом махровом халате, с удовольствием рассматривал себя в зеркале и острил, описывая новых знакомых снисходительно, с юмором, чувствуя себя столичным жителем, которого судьба временно забросила в глухую провинцию.

О причине переезда Кирилл предпочитал не вспоминать и преподносил покупку пивзавода как удачно подвернувшуюся сделку, которую жалко упустить, а не как вынужденную меру по спасению хоть каких-то активов после полного провала семейного бизнеса.

Как всякий самовлюбленный эгоист, он считал себя крутым спецом и был уверен, что черная полоса рано или поздно закончится, любил рисковать, принимать необдуманные решения, действовать нахраписто и агрессивно. Бизнес, процветающий еще недавно, захирел после смерти совладельца, старшего брата Кирилла Андрея, человека осторожного и не поддающегося на авантюрные затеи брата. Четыре года назад Андрей погиб в автомобильной аварии...

Лара с болью вспоминала Андрея, они были друзьями. Его гибель стала ударом для нее в большей степени, чем для Кирилла.

Младший брат всегда находился в тени старшего, бунтовал, угрожал выйти из бизнеса, забрав свою долю, но для самостоятельного плавания еще не дорос. Дело обычно заканчивалось шумной сварой и хлопаньем дверью. Затем братья мирились, и жизнь продолжалась.

После смерти Андрея все пошло вразнос. Лара пыталась образумить Кирилла, но тот не терпел ни малейшей попытки вмешаться в его дела, уговоры на него не действовали, он был упрям и азартен, пустился в рискованные спекуляции и в итоге прогорел. При этом виноваты были все, кроме него.

Лара недоумевала — Кирилл был неглуп, образован, много лет в торговом бизнесе, но при этом оставался недальновидным, излишне самоуверенным и принимал неразумные решения. Да что там неразумные! Дурацкие решения! Путался с сомнительными дельцами, считая себя крутым предпринимателем, брал ненужные кредиты, надумал расширять бизнес...

Пивзавод давал неплохую прибыль, Кирилл, казалось, взялся за голову — Лара нарадоваться не могла, но муж вдруг заговорил о цехе пищевых добавок и даже присмотрел местную фабричку «Зеленый лист» и встретился с владельцами на предмет покупки. Получил отказ, но не сдавался.

Лара боялась, что Кирилл попытается надавить с помощью сомнительных знакомых из прежней жизни, и бог весть, чем история с покупкой может закончиться. Времена рейдерства в прошлом, бизнес стал более цивилизованным, но рецидивы все еще случаются. И главное, на чужой территории! Аборигены — дураки и дебилы, а мы крутые, мы вас сделаем на раз-два.

Дураками и дебилами были конкуренты, враги и даже союзники. Себя же он считал финансовым гением. Лара испытывала к мужу что-то вроде презрения, но подыгрывала... А куда денешься? Все бросить и идти работать? С ее незаконченным музыкальным? Реализатором на рынок?

А любовь... если и была, то давно прошла. Они были женаты шесть лет. Иногда Лара думала, что, позови ее Андрей, она бросится к нему сломя голову, но Андрей все не звал...

— А те двое, толстяки сумо, помнишь? — продолжал Кирилл, напрягая мышцы. — Тот, что с костылем, — совладелец «Зеленого листа», я с ним уже имел разговор, по-моему, ему пофиг на бизнес, типичный лентяй и бездельник, не говоря о партнере — тот вообще придурок, двух слов связать не может. А этот писака из местной бульварной газетенки «Вечерняя лошадь», местная аристократия, так сказать! Как они смешны и жалки, эти местечковые воротилы. Ты заметила, там был фотограф, здоровый такой, с патлами, щелкал всех подряд, тебя особенно, так и пялился нахально, я даже хотел подойти и выдать ему пару теплых. Скотина! Завтра фотки появятся в Сети, надо будет найти. Кстати, у нас в субботу гости, слышишь? Вся компания! Речицкий, его шестерка Яков Ребров, сумоисты — журналюга с дружбаном, фотограф и Артур Ондрик. С местными надо дружить. — Он присел на край кровати. — Спишь?

Лара не ответила.

— А немножко любви родному мужу? — Он потрогал ее за плечо.

Лара молчала, притворяясь, что спит. Кирилл погасил ночник, лег, обнял Лару.

— Смотри, а то подружусь с Яшиными девочками. Они для плебса, конечно, но рыженькая ничего. Шучу, шучу, не бойся, я падалью не питаюсь. — Он рассмеялся. — Иди ко мне, я соскучился!

Лара, стиснув зубы, сжав кулаки, удерживая слезы, позволила мужу...

Что значит позволила? Разве он спрашивал, уверенный в своем праве? Все верно, она *должна*. Должна, не должна...

Сама виновата, ты же никогда его не любила. Да, да, бывает, живут без любви, он тебе защиту, ты ему постель, все честно, так что нечего тут. Нечего! Подумаешь, делов. А то, что от одного звука его голоса, смеха, запаха хочется закричать — твое личное дело. Никто не держит, скатертью дорога. За все нужно платить. За крышу над головой, стол, шопинг в Европе. Твой вариант не самый плохой. Вот и плати. Или уходи. Пошла вон.

Кирилл давно спал, всхрапывая и постанывая во сне. Такая была у него особенность — стонать во сне. А Лара лежала неподвижно, как бревно... вернее, *продолжая* лежать неподвижно, как бревно, без сна, без мыслей, чувствуя себя пустой оболочкой, мертвым коконом, из которого вылетела бабочка...

Глава 7
Серые будни

Оптимист верит, что мы живем в лучшем из миров. Пессимист боится, что так оно и есть.

Михаил Жванецкий

На другой день в Сиднев никто, конечно, не поехал. У Добродеева оказалась прорва дел, Монах с мокрым полотенцем на лбу лежал на диване и морщился от всякого звука, будь то шум лифта, звук голосов с улицы или лай соседского той-терьера, крохотного, но удивительно крикливого.

На тумбочке стояла литровая бутылка минеральной воды, и Монах время от времени протягивал руку и, не открывая глаз, прикладывался. Пил, также морщась, так как глотки болезненно отдавались болью в затылке и висках, кроме того, каждый был оглушительным.

При звуке дверного звонка Монах издал стон, но остался недвижим. После третьего, цепляясь за спинку дивана, чертыхаясь, сполз и пошлепал в прихожую.

Добродеев с порога спросил:

— Ну как? — Присмотрелся, покачал головой и прищелкнул языком.

— Вот только не надо, — сказал Монах. — Что я пил?

— Начал с виски, потом коньяк, затем водку с пивом. Я предупреждал, но ты не слушал. Иван Денисенко захотел пива, и ты поддержал. Головка бо-бо?

Монах молча развернулся и пошел назад в гостиную.

— Может, кофейку? — спросил ему в спину Добродеев. Монах только дернул плечом.

— Тогда я себе, — решил Добродеев. — А пива? Клин клином? Я захватил.

— Давай, — оживился Монах. — Брось на пару минут в морозильник. Ты тоже принял вчера?

— Все кроме пива. Я тебе говорил, но Иван сказал, фигня. Потому свеж и бодр.

— Твой Иван пьет как лошадь, — пробурчал Монах, укладываясь на диван и накрывая лицо мокрым полотенцем.

— Кстати, о лошадях. Речицкий пригласил в Сиднев, помнишь?

— Только не сегодня. Я не в форме. — Голос Монаха из-под полотенца звучал невнятно и глухо.

— Хочешь, накапаю нашатыря?

— Нашатыря? На хрен?

— Говорят, помогает.

— Можешь помолчать? Иди свари себе кофе и дай мне спокойно помереть.

— Иду. Кстати, Кирилл пригласил нас на ужин, пойдешь?

— С какого перепугу? Он держится как белый господин в африканской деревне. Неприятный тип.

— А Лара приятная.

— Приятная. Часто задаю себе вопрос, почему у приятных женщин идиоты-мужья.

— Всяко бывает, — философически заметил Добродеев и удалился в кухню. — Кстати, Речицкий все-таки подрался! — прокричал он уже из кухни. — Мне утром Иван звонил, говорит, махач был приличный. Все против всех. — Добродеев захохотал. — Там своя тусовка оставалась догуливать, ну и Володя отвел душу. Если бы не Яша, давно бы влетел. Друзья детства, как ты с Жориком.

Монах только морщился от криков Добродеева, стараясь не дышать носом — от запаха кофе его затошнило...

...А в это же время в доме Речицкого происходила драматическая сцена.

Яков Ребров, друг и соратник, готовил завтрак и попутно «воспитывал» хозяина, причем не выбирая слов. (Не будем приводить здесь богатую лексику руководителя культурного фонда, заменив ее на приличную, так что читателю придется поверить на слово.)

— Ты совсем идиот? — вопрошал Яков. — Чего ты с ним сцепился? Артур падла еще та, но не публично же! Ты же мог его убить! А Иван Денисенко туда же! Певец свалок. Из-за тебя и мне прилетело. — Он потрогал покрасневшую левую скулу. — Мало того что ты тянул его половину, так еще и морду бить? Это уже перебор. Ты же понимаешь, что рано или поздно прилетит ответка... мало не покажется! Он собирался вызывать полицию, я еле угомонил. Смотри, допрыгаешься.

— Отстань, — бурчал Речицкий. — Что, собственно, произошло? Ну, разрядились, ну, выяснили отношения... Хотя, какие там отношения! И не бил я его, он сам под руку подлез... эстет гребаный. От одной его рожи рыгать тянет. А твои девки! Где ты их берешь?

— Мне нужны деньги, — сказал Яков после паузы.

— Опять? Жрешь ты их, что ли? У меня конюшня прогорает, дурак, что скинул пивзавод. Между прочим, ты посоветовал. Этот идиот его угробит! Корчит из себя финансиста... А Лара ничего, похожа на какую-то артистку... — Он пощелкал пальцами.

— Все они артистки, — заметил Яков. — Мне немного, через три месяца фестиваль, самой малости не хватает. Кстати, вспомни, я был против продажи завода, а ты уперся. Так что не надо.

— Опять? Не дам! Возьми у столичного гения. Расскажи ему, какой он крутой и весь из себя... как ты умеешь. Пока он не поиздержался. Идиот! Господи, какой же я идиот! — Речицкий обхватил голову руками. — Я никогда не любил лошадей, куда теперь с ними... За полгода ни одного предложения! А пиво всегда нарасхват. Прогорим оба — и я, и этот залетный. Какие деньги? Скоро по миру пойду. Какой фестиваль? Я же давал недавно!

— Не укладываемся, цены растут. Самую малость, говорю же.

— Я подумаю. Тебя легче убить, чем прокормить.

— Насчет залетного... Он приглашает в гости, в субботу. Сходим? Кстати, можешь сделать предложение насчет завода, предложи сменять на конюшню. — Яков хмыкнул, давая понять, что шутит.

— Я и ему морду набил?

— Нет, они ушли раньше.

— Сходим. Хочу посмотреть на его мадам вблизи.

— Может, не стоит? Одри на тебя запала, спрашивала, с кем ты.

— Одр*и*? — Речицкий рассмеялся. — Ну, и имечко! Сам придумал? А на самом деле?

— Ольга. Между прочим, неглупая девочка, преподает в техникуме.

— Ты, как я понимаю, трахаешь ее подругу? Или обеих?

— Я напишу список, посчитаешь сам, — Яков проигнорировал вопрос. — Через неделю платеж. Сделаешь?

Речицкий смотрел на приятеля в упор. Без улыбки. Яков отвечал ему таким же взглядом в упор...

Глава 8
Суаре

Все, что есть хорошего в жизни, либо незаконно, либо аморально, либо ведет к ожирению.

Первый постулат Пардо

Суаре, суаре... Да что же это автор так в него вцепился? Носится, как с писаной торбой. Откуда такая склонность к архаике? Кто сейчас так говорит? Слово разве только в кроссвордах и встретишь. Что, кстати, наводит на мысль, что сочиняют их немолодые образованные, начитанные технари, причем мужчины — уж очень много технических, футбольных и рыболовных терминов. Ну, это так, вскользь...

Ба! Знакомые все лица. Тот же вернисаж, только без картин. Пришли все, всем интересно посмотреть, как устроились столичные штучки, как обставили квартиру, кто придет... и вообще. Пришли друзья, пришли враги, и те, и другие, умирая от любопытства.

Кирилл и Лара встречали гостей в прихожей. Кирилл сиял, Лара улыбалась вымученной улыбкой. Бледная, гладко причесанная, почти без макияжа, в открытом коротком черном платье, единственное украшение — бриллиантовые сережки, она выделялась среди ярко одетых гостей... как бы это правильнее? Стилем? Сдержанностью? Или... неуместностью? Было видно, что происходящее не доставляет ей ни малейшего удовольствия. Она была чужой, и те, кто пришел, тоже были чужими. Десятка полтора чужих и ненужных друг другу людей...

Нетрезвый Речицкий принес чертову дюжину кремовых роз на мощных страусиных ногах с торчащими шипами и бутылку элитного коньяка.

Приобнял хозяина, протянул розы Ларе и потянулся поцеловать.

Она укололась о шип, вскрикнула и отступила на шаг, рассматривая капельку крови на пальце.

Речицкий схватил ее руку и сунул в рот ее окровавленный палец. Лара вырвала руку, мужчина рассмеялся.

Кирилл смотрел оторопело. Лара, пробормотав, что нужно заклеить пластырем, убежала из прихожей.

— Красивая она у тебя. На артистку похожа, не могу вспомнить. Это тебе! — Речицкий протянул Кириллу пузатую бутылку «Camus». Тот, помедлив, взял. — Надеюсь, я не первый? Яник уже на точке? — Видя, что Кирилл не понял, пояснил: — Мой дружбан, Яша Ребров, юморист-затейник, который с бабами.

— Он уже здесь, — сказал Кирилл. — Прошу в гостиную.

Речицкий упал на диван около Реброва, осмотрелся и сказал:

— А где девочки?

— Анфиса опоздает, ребенка не с кем оставить.

— Она что, мать-одиночка?

Яков пожал плечами и не ответил. Настроение у него стремительно падало. Речицкий пребывал в опасном настроении нарывания на скандал, то есть дошел до нужной кондиции, и похоже, без скандала не обойтись. Тем более у него подохла кобыла.

Когда Яков узнал, сколько она стоила, то невольно присвистнул. В свое время он уговаривал приятеля не продавать пивзавод, приносивший неплохой доход, но Речицкий, упрямая скотина, вдруг захотел конезавод, не понимая в этом ни ухом, ни рылом.

Красивых перемен в жизни захотелось, видите ли. Лошади, конечно, красиво, но сколько же с ними возни! Болячки, прививки, витамины, тренеры, выездка...

Володька все свои проблемы решает нахрапом, думал и тут на дурика проскочить, ан нет, не вышло. Подохла гнедая красотка Кармен, лекарь подозревает отравление. Володька выгнал старшего конюха, тот, видите ли, позволил себе ухмыльнуться, когда он пытался руководить и учить персонал, как жить дальше, напирая на то, что с ним шутки плохи.

Идиот! Да за профи двумя руками надо держаться! Конюх съехал со двора, а кобыла через неделю возьми да подохни. А кто виноват?

Речицкий потрясал кулаками и вопил, что он его уроет!

Кишка тонка, попробуй докажи. Да и не верил Яков, что конюх будет травить лошадь. Уж скорее Володьку траванет. Теперь точно не даст денег...

— А эта кукла ничего, — сказал Речицкий.

— Которая?

— Лара! Держится королевой, не намазана, шикарное платье. И почему только такие бабы обламываются всяким говнюкам?

Яков только вздохнул, пожалев, что ответил на приглашение Кирилла. Знал ведь, что приятель не в духе после смерти кобылы, загулял с горя, даже подрался на вернисаже с Артуром.

Артур носится со своей американской дешевкой, как дурень с писаной торбой, раззвонил по всему городу, рекламу, сволочь, делает. А потом спихнет втридорога. И голова не болит.

Речицкий обзавидовался и не выдержал — обозвал картины дерьмом. Артур взвился и в свою очередь обозвал его дилетантом, который в живописи понимает так же мало, как и в лошадях. Наступил на больную мозоль, одним словом.

После этого и началось. Ему, Якову, тоже прилетело. Потом их мирили. Вернее, они позволили себя помирить. Оба не дураки, оба погорячились. Потом все пили за дружбу. А в такси Речицкий бубнил, развивая тему убийства этой паршивой галерейной крысы, а его гребаный вернисаж обещал полить бензином и спалить к такой-то матери.

Душа Якова предчувствовала очередной скандал. Речицкий пьян, пребывает в первой стадии, заинтересовался Ларой. Не к добру. На первой стадии он острит направо и налево, говорит гадости и много смеется. Цепляется к женщинам. На второй переходит к прямым оскорблениям, на третьей лезет в драку. А ему приходится разнимать, впихивать в такси и доставлять домой. Нянька!

Да, конечно, друг подкидывает на мероприятия, но ведь не даром! Все отработано сторицей.

Яков чувствовал, как растет в нем раздражение. Дурак! Трижды дурак, что пришел. Если бы не нужда в деньгах! Но Речицкий, похоже, не даст. Забыл, подонок, чем обязан ему.

Пощупать разве Артура? А что, завести разговор о картинах, дать понять, что видит его насквозь... Насквозь! И его картины тоже. Американский авангард, надо же!

Речицкий что-то говорил о Ларе. Было видно, что она зацепила его воображение.

Яков слушал с возрастающей тревогой...

Речицкий наконец уснул на диване на полуфразе. До драки, к счастью, не дошло, и Яков перевел дух.

Кирилл задумал фуршет, но народ воспротивился — к чему это кокетство, надо быть проще, — придвинул столы к дивану и принес из кухни табуреты.

Дипломированный фотограф и лауреат Иван Денисенко наперегонки с золотым пером местной бульварной прессы Лешей Добродеевым произносили тосты. Пили за любовь и дружбу, за творчество, за прекрасных дам. Неутомимый Леша затеял викторину насчет того, кто как напивается.

— Как напивается плотник? — кричал разгоряченный журналист, протыкая вилкой воздух.

— В доску! — кричал в ответ Иван Денисенко.

— Стекольщик?

— Вдребезги! — после небольшой заминки выкрикнул Иван.

— Молоток! Сапожник?

— В стельку! — угадал Яков.

— Электрик?

— В отключку!

— Математик?

Наступила пауза. Никто не знал, как напивается математик.

Добродеев кивнул Монаху: давай, мол, подмогни.

— Должно быть, в ноль, — предположил Монах.

— Правильно! Христофорыч, ты гигант! Медик?

— До потери пульса! — закричала девушка Ивана, длинная блондинка с короткой стрижкой.

— Умница! — похвалил Добродеев.

— А мент? — заорал Иван Денисенко.

Новая пауза. Никто не знал.

— В ленивого полицейского! — Иван заржал.

Монах поглядывал на Лару, рассматривал ее короткими взглядами, пытаясь понять, что с ней не так. Кирилл поминутно обнимал жену, чмокал в щеку; лицо ее выражало покорность и равнодушие. Она постоянно поднималась и выходила из комнаты, унося пустые тарелки и принося полные.

В один из походов Монах увязался за ней под предлогом помощи. Сказал благодушно, что любит возиться по хозяйству.

Она слабо улыбнулась и кивнула.

— Привыкли у нас? — начал он издалека процесс выворачивания объекта наизнанку, как учит представитель желтой прессы журналист Добродеев. — После большого города, должно быть, трудно, масштабы другие.

Лара пожала плечами:

— Муж настоял на переезде. Из-за бизнеса.

Что и требовалось доказать! Муж настоял, а она была против. Конечно, променять столицу на их скромный город — это поступок.

— Почему именно к нам? Бывали у нас раньше?

— Я? Никогда! И города почти не знаю. Рассматриваю больше с балкона. Да и занята была, то ремонт, то мебель... И муж тут не был. Его заинтересовал завод, он решил, что нужно что-то менять в жизни...

— Я бы тоже не отказался от пивзавода. Любите пиво? Лара улыбнулась:

— Не очень. А вы?

— Люблю. Когда-то Володя Речицкий угощал меня молодым пивком... Ну, очень, доложу вам! Удивительно, как в человеке сочетается... э-э-э... скажем, некоторая склонность к публичному асоциальному поведению с деловой хваткой. Мой друг Добродеев... Знаете его? — Лара, улыбаясь, покачала головой. — Тот, что с викториной. Толстый и кричит. Любит называть себя Лео Глюк. Как наткнетесь в газете, знайте, это наше все, он же золотое перо, гордость местной журналистики и так далее, Леша Добродеев. Он уверяет, что Речицкий, хоть хулиган и пьяница, но очень душевный и добрый человек. Лет двести назад он был бы пиратом... вроде капитана Блада.

— Капитан Блад не был хулиганом и пьяницей, — заметила Лара. — Он был благородным пиратом.

— Разве? В таком случае Речицкий тоже благородный пират. А мой друг Иван Денисенко, замечательный художник и фотограф, правда, пьяница и много говорит. Если попросите, он сделает ваш фотопортрет.

Лара рассмеялась:

— Я подумаю.

— Подумайте. Повесите в гостиной. У вас красивая квартира. Я тоже купил квартиру, но пока не обставил. Купил большой диван... Знаете, когда лежишь на диване и думаешь, просто думаешь, в голову приходят потрясающе интересные мысли. У нас с другом детства

Жориком Шумейко фабричка травяных чаев и всякой ерунды, «Зеленый лист» называется.

Как же, знаем! Монах числится там генеральным директором, а друг детства и просто хороший человек Жорик — исполнительным. Головная боль, выстраданный, просчитанный, зачатый в муках проект...

Если честно, надоевший до чертиков, и только врожденная порядочность... гм... и беспомощный Жорик удерживают Монаха от побега куда глаза глядят.

Слова, слова... Сбежать он захотел! Так прямо и сбежать. С хромой ногой сильно не побегаешь. А Жорику постоянно что-нибудь нужно, то налоговая наедет, то пожар, то поставки задерживаются, и тогда Монах поднимается с дивана, надевает костюм и с отвращением идет разруливать. Он хитер как лис, кроток как голубь и дипломат как этот... Макиавелли. Кроме того, он волхв, как читателю уже известно, а потому знает, какие кнопки нажать и какие слова сказать. А Жорик — прекрасный механик, ну там оборудование сложить, механизм починить или забить гвоздь в нужное место — тут ему нет равных...

— Возможно, вам известно, что ваш супруг сделал нам предложение о покупке. Он у вас серьезный бизнесмен. — Лара кивнула, на лице ее появилось странное выражение... неприятия? Раздражения? Что не ускользнуло от внимания Монаха. — Так вот, лежа на диване, — продолжил он благодушно, — я задумал запустить линию парфюма и назвать его, допустим, «Незнакомка в тумане» или «Легкое дыхание», или еще как-нибудь похоже. (Бессовестное вранье!) Вернее, не духи, это сложно, это потом когда-нибудь, а туалетную воду, знаете, такую легкую невесомую... Иногда идешь в толпе и вдруг чувствуешь, как повеяло чем-то неземным... — Монах пошевелил в воздухе пальцами. Он нес всякую ерунду с целью расшевелить Лару, она казалась ему необычной и не очень счастливой. — Помните, где-то у Куприна: «упоительный запах фиалок» или как-то так. Упоительный! Не резкий или удушливый, а упоительный. А какие у вас духи?

— Муж любит дарить духи, — сказала Лара. — Ему нравятся сладкие ароматы.

Она сказала: «Ему нравятся»! Монах не стал развивать тему духов дальше, только сказал:

— Хотите, покажу вам город?

Во времена его юности это было их с Жориком любимым приколом: притвориться приезжими и попросить незнакомую девушку показать им город. Они ходили с ней по городу, удивлялись и задавали дурацкие вопросы. Барышня добросовестно отвечала, а они давились от смеха. Работало тогда, сработает и сейчас. Только в роли девушки, показывающей город двум шалопаям, теперь выступит сам Монах. Ему бы только вытащить ее на прогулку.

В ней чувствовалась загадка. Она напоминала ему закрытую коробку или языческого истукана под покрывалом. Несмотря на цинизм и прекрасное знание ближнего и вследствие этого отсутствие иллюзий, сидел в нем какой-то юношеский романтизм, на что ему неоднократно пенял Лео Добродеев, сам неисправимый романтик, готовый за первой попавшейся юбкой в огонь и воду. Причем за так, без всяких задних и далеко идущих мыслей. Скорее, чтобы покрасоваться самому. Было в нем это — желание распустить хвост и прихвастнуть, безбожно привирая при этом.

Одним словом, два романтика. Один, полный любопытства исследователя — потрогать, разломать и посмотреть, что внутри; другой звенящий как колокольчик и получающий кайф от собственного звона. Сказать, что Лара понравилась ему как женщина, автор не может. Непохоже вроде. Монаху, наоборот, понравилась незатейливая Одри, с которой легко и просто. К сожалению, затейник-жиголо Яков Ребров...

Кстати, Речицкий называет его Яник! Они друзья детства, как оказалось.

Интересная комбинация, однако.

К сожалению, сегодня Яник позвал с собой в гости только Анфису, с которой у него... э-э-э... как сейчас говорят, отношения.

— Даже не знаю... — сказала Лара, не глядя на Монаха.

— Вот моя визитка, позвоните, когда надумаете, — не стал налегать Монах, протягивая ей карточку. — Готово? Давайте я отнесу! — Он деловито подхватил тарелки с закусками и понес из кухни.

— Спасибо! — сказала она ему вслед.

В прихожей Монах наткнулся на жиголо Яника, который скандалил с кем-то по мобильному телефону.

До Монаха донеслось: «Ты, дрянь, угрожаешь? Мне? Да я тебя размажу...»

Он осекся и замолчал при виде Монаха.

Тот, пробормотав «пардон», свернул в гостиную, где был встречен радостным ревом.

Багровый Добродеев травил очередной анекдот, Иван ржал, Анфиса взвизгивала, а Речицкий храпел на диване.

«Обстановочка», как сказал один одесский поэт.

Артур Ондрик и Кирилл, голова к голове, вполголоса что-то обсуждали.

«Втюхивает ему картину американца... как его? Марка Риттера», — подумал Монах, расставляя тарелки.

Похоже, вечер удался. Или все-таки *суаре*?

...Расходились шумно, с криками и смехом, и долго прощались на пороге, а потом на лестничной площадке.

В такси Добродеев сказал, что у него изжога и ему плохо, в смысле, может, «Скорую», а то долбанет к черту инфаркт и... амба!

— Не валяй дурака, — сказал Монах, — сейчас я тебе накапаю соды, все как рукой снимет.

Он затащил Добродеева к себе и щедро отсыпал в стакан с водой соды и размешал ложечкой.

Добродеев, морщась, выпил, после чего стал икать.

— Это хорошо, — заметил Монах. — Углекислый газ выходит. Только не напугай таксиста.

Он запер за приятелем дверь и отправился в ванную принять душ...

...Лара убирала со стола. Кирилл помогал и снисходительно обсуждал гостей — простоваты, провинциальны, рассказывали дурацкие анекдоты.

— Яник с девочками — явно сутенер, журналист глуповат и громко орет, профессор-математик примитивен. Говорят, изображает из себя великого сыщика. Представляешь? Даже сайт завел, обещает звезды с неба. Только трубки не хватает. — Кирилл рассмеялся. — Речицкий — алкоголик и бузотер... ну, это мы уже поняли. Не особенно умен. Иван сказал по секрету, он страшно жалеет, что продал завод, кроме того, у него сдохла лошадь, и он с горя запил. — Кирилл рассмеялся. — Из всей компании один Артур вполне респектабелен. Я уговариваю его уступить «голубую женщину», но он пока ни в какую. Ну, я его дожму, ты меня знаешь. Я проверил в Интернете, Марк Риттер известный авангардист, после смерти цены на его картины подскочили чуть ли не вдвое. Артуру повезло. В доме должны быть произведения искусства, подлинники, это придает шарм и изюминку и говорит о статусе. Я торгую «женщину», но он заломил за нее... даже страшно сказать.

Лара внимала молча, старательно вытирая тарелки...

Потом Кирилл ушел в ванную, а Лара уселась на диван, обняла подушку и закрыла глаза.

Перед глазами мельтешили лица гостей. Кирилл спешит завести знакомства и вписаться в местное общество, ему нравится чувствовать себя на голову выше окружающих. С заводом ему повезло, а теперь еще оказывается, Речицкий жалеет о продаже. Причина для радости, однако. И лошадь сдохла.

Она вздрогнула от звуков «Венского вальса».

Айфон! Номер незнакомый.

Помедлив, она произнесла:

— Алло!

Невнятный мужской голос сказал: «Снимаю шляпу...» — и еще какие слова, которых она не разобрала.

— Вы ошиблись, — отчеканила Лара и отключилась.

Сидела неподвижно, сжимая в руке плоский серебряный аппаратик...

Глава 9
Письмо

Человек вошел в полутемный подъезд, автоматически, не глядя, отпер почтовый ящик и с удивлением вытащил два письма, одно обычное, другое в большом желтом конверте. Обычно там были только счета, кто сейчас пишет письма!

Подойдя к свету, он рассмотрел обратный адрес на первом и чертыхнулся, подавив желание отшвырнуть его. На втором обратного адреса не было.

Озадаченный, он повертел в руках конверт и стал подниматься к себе на третий этаж.

Холодильник был пуст, на нижней полке сиротливо торчала жестянка лосося в яблочном соусе.

Он снова чертыхнулся. Достал жестянку, вскрыл ножом и стал есть стоя. Взгляд его упал на собственное отражение в темном оконном стекле, и он замер. Хорош! В одной руке банка, в другой нож.

Ему пришло в голову, что это его естественный облик, без прикрас, здесь и сейчас он таков, как есть. Жлоб, жрущий из жестянки! Причем ножом.

...Он швырнул конверт на письменный стол, сел в кресло; включил компьютер. Просмотрел новости; выключил компьютер.

Сидел и смотрел на конверт, чувствуя исходящую от него угрозу. Взял его и потянулся за ножницами, аккуратно срезал полоску вдоль конверта, заглянул внутрь и достал пинцетом плотный лист бумаги.

Уставился, оторопев, не веря глазам... Что за глупая шутка?

...Глубокая ночь, тишина. Спит дом, спит город. Иногда под окнами проедет автомобиль, и снова наступает тишина.

Человек все еще сидит за письменным столом и рассматривает цветной постер.

Там изображен человек, полулежащий в ванне. Человек мертв, заколот ножом. Мучительная поза, склоненная голова.

Жак Луи Давид «Смерь Марата».

На лицо мертвого человека наклеено лицо хозяина кабинета, вырезанное из фотографии. И получается, что убитый в ванне — не Марат, а он сам.

Отвратительное зрелище. Причем он улыбается и смотрит на зрителя, что создает тошнотворный диссонанс с мучительно изогнутым телом...

Человек сжимает кулаки, чувствуя, как накатывает приступ бешенства; он скалит зубы и смотрит, смотрит, бормоча ругательства. Он не может отвести взгляд от улыбающегося лица мертвеца в ванне, своего собственного...

Не в состоянии удержаться, резким движением руки он смахивает со стола постер, чернильный набор, блокнот, серебряный стакан с карандашами.

Все с грохотом летит на пол. Картинка неторопливо планирует в воздухе и тоже опускается на пол.

Мертвый человек в ванне с лицом хозяина кабинета улыбается, глядя на хозяина кабинета...

Глава 10
Дождь в парке

...Всю неделю
Скучной серою стеной
Сеет, сеет, как сквозь сито,
Серый дождик затяжной...
С. Козлов. «Серый дождик затяжной»

Лара и Кирилл завтракали в кухне. Мюсли и кофе.

— Хочешь, пообедаем вместе? В пиццерии «Паста-баста». Леночка говорит, там классные десерты. Вам, девушкам, главное десерты! — Кирилл рассмеялся. — Знаешь, где это?

Леночка — секретарша Кирилла.

Лара покачала головой:

— Я плохо знаю город. То ремонт, то мебель...

— Надо будет устроить тебе экскурсию. Это на площади, слева от театра. У входа стоит пианино...

— Настоящее? — удивилась Лара.

— Настоящее! Облезшее, старое, но, знаешь, что-то в этом есть. Какое-то ощущение подлинности, красивое ретро. В два часа. Нормально?

Лара кивнула.

— Ларка, ты у меня красавица, — вдруг сказал Кирилл. — Мужики все глаза обломали.

Он взял руку жены, прижал к губам.

Лара сглотнула и попыталась улыбнуться:

— Не выдумывай!

— Пошли! — Кирилл стремительно поднялся из-за стола, не выпуская ее руки.

— Кирилл, ты опоздаешь! — Лара попыталась его образумить.

— К черту! Подождут! — Он обогнул стол, притянул ее к себе; Лара закрыла глаза. — Пошли!

...— Поспи еще! — Кирилл одевался. — Погода паршивая, дождь. Но только утром, а потом обещали солнце. В два встречаемся в ресторане с пианино. — Кирилл наклонился и поцеловал Лару. — До встречи, моя девочка!

Лара попыталась улыбнуться; она смотрела на Кирилла, в который раз думая, что он очень красив. Хорошие черты лица, хорошая улыбка, фигура атлета. Потом отвела взгляд и спросила себя: почему? Что ей нужно? Чего не хватает? Умные люди говорят, что любовь — роскошь, вроде... «Бентли», достаточно легкой приязни, какой-нибудь «Субару» или «Тойоты». Любовь вроде жернова, привязанного к ногам, — ни шагу в сторону. Тяжелое мрачное чувство... А ревность!

Она поежилась. Кирилл ревнив, приходится оправдываться за взгляд на чужого человека, за смех от чужой шутки, за выключенный нечаянно айфон...

Оправдываться и доказывать любовь. Лезть из кожи вон. Она слабохарактерная, не выносит скандалов, соглашается с ним, позволяет ему... да, да!

Ну уж такая она есть! Кирилл был завидным женихом, за ним многие бегали. А обломилось ей. Потому что не бегала.

Она помнит, как он пригласил ее на ужин, а она забыла и не пришла. Даже близкая подруга Слава уверена, что она дразнила Кирилла, вызывала его интерес...

Но она действительно забыла! Он был ей не нужен.

Он позвонил утром и резко высказал свое неудовольствие. Она бросила трубку. Он перезвонил через пять минут и уже спокойно спросил, почему она не пришла.

Она извинилась и честно сказала, что забыла.

Он сказал: «Тогда сегодня?»

Она согласилась.

«Дура, хватай и держи, — сказала Слава. — Такие мужики на улице не валяются».

Какого тебе еще рожна? Не любишь? Полюбишь! Достаточно приязни... А если нет даже приязни? Если даже звук голоса вызывает отторжение? Хватит!

Она слышала, как захлопнулась входная дверь. Свернулась клубком, натянула на голову одеяло. Построила свой маленький закрытый мирок. Спряталась. Лежала и думала. Улыбнулась невольно, вспомнив фотографа... Дипломированного! Ивана Денисенко и шумного громогласного журналиста из «Вечерней лошади»! Странное название... С его глупыми анекдотами.

Как его? Леша Добродеев! Олег Монахов сказал, он пишет под псевдонимом Лео Глюк.

Олег, большой, спокойный, вызвался помочь, носил тарелки... Они болтали ни о чем в кухне. Он оставил свою визитку — предложил показать город. Она снова улыбнулась, вспомнив прикол из далекой юности, когда парни делали вид, что они приезжие, и просили показать город, а девочки делали вид, что велись. С ним легко...

Кирилл смеялся: «Представь себе, он воображает себя великим сыщиком и у него есть свой сайт. Правда, клиентов нет. Еще бы! Сыщик!»

Артур Ондрик ей понравился — интересная личность, помогает пробиться молодым талантам, с прекрасными манерами и прекрасной речью. Кириллу он тоже нравится, он думает выдурить у него картину Марка Риттера.

Выдурить! В этом весь Кирилл! Удовольствие от покупки еще больше, если удастся «выдурить». Артур сопротивляется, но так еще интереснее, просыпается азарт.

«Ты меня знаешь, — сказал Кирилл, — я его дожму. Нам в гостиную очень подошла бы «голубая женщина». Посмотри в Интернете про Марка, там есть его картины...»

Через час примерно Лара поднялась.

За окном было сумрачно и шел дождь. Послонявшись по квартире, она сделала себе кофе, села у компьютера и стала искать сайт частного детектива Олега Монахова.

Зачем? Она не сумела бы ответить, просто так. Что-то было в нем надежное... как в том толстом американском сыщике, который тоже любил пиво, а еще орхидеи. Он вызывал в ней любопытство. Интересно, что он написал о себе.

Вскоре она нашла сайт Монаха. Он назывался «Бюро случайных находок».

«Разве бывают неслучайные находки?» — с удивлением подумала Лара. Все находки случайные. Странное название. Вроде «Вечерней лошади».

Тут же была фотография: здоровенный бородатый амбал, прищурившись, смотрит прямо тебе в глаза. Улыбается. Руки сложены на мощной груди. Надежный. Психолог, математик, философ и путешественник...

И что же он тут предлагает и обещает? Лара углубилась в чтение.

Текст был короток, прост и незатейлив — никаких звезд с неба. Она прочитала его раз, другой...

«Здравствуйте, друзья! Меня зовут Олег Монахов. Я психолог, математик, мыслитель и путешественник. За свою долгую и пеструю жизнь я встречался с разными людьми, попадал в критические ситуации, иногда прощался с жизнью — было и такое... И сейчас я с уверенностью говорю вам: я могу помочь! У меня есть ответы на многие вопросы — приходите и спрашивайте. Попробуем разобраться в ваших проблемах вместе. Запомните, нет безвыходных ситуаций. Вернее, есть, но их мало. Иногда кажется, что все! Тупик, конец, безнадега! Вы растерянны, вам страшно и хочется убежать... Но проблемы придется решать, от них никуда не денешься. Давайте сделаем это вместе.

Запомните... Нет, зарубите себе на носу: жизнь всегда продолжается!»

Лара задумалась. Он предлагает помощь тем, кто в тупике... Говорит, приходите, подумаем вместе. Что-нибудь решим, не бывает безвыходных ситуаций, жизнь всегда продолжается.

Что-нибудь! Не решим, а *что-нибудь* решим. Что сможем. Ну да, он ведь не господь бог. Ничего не обещает... по крайней мере, честно.

В чем же смысл? Поговорить? А как же реклама? Яркие краски, клятвы, что поможет, разгребет, спасет. Или наложит порчу на врага. Уж очень скромно.

Интересно, кто ему пишет. И потом, слишком много всего: и философ, и математик, и психолог... это отпугивает. Конечно! Почти никто и не пишет.

Всего несколько писем. Два с вопросами: может ли он найти исчезнувшего человека и предвидеть будущее, и три ругательных: «Да что ты, дурак, себе возомнил? Иди работай, бездельник, двух слов связать не сможешь, толстый жлоб, на тебе пахать надо, жулик, путешественник, блин, вот и путешествуй дальше! Псевдофилософ!» Два в защиту, *типа* не твое собачье дело, канай отсюда, и неприличный ответ ругателя. И еще одно с вопросом: «Че сказать-то хотел, болезный?» Обращенное не то к ругателю, не то к философу.

Скорее, к ругателю, решила Лара, невольно улыбаясь.

Ох, уж эти сетевые ругатели! Дома тише воды и ниже травы, так хоть здесь душу отведут.

За окном сеял дождик и висели невразумительные серые сумерки. Капли мелко стучали в подоконник. Не похоже, что к полудню пробьется солнце. Конец августа, лето еще, а осень уже чувствуется. Унылая пора... Беспросветная. Как ее жизнь. Она почувствовала, как защипало в глазах...

Она вздрогнула от звуков вальса. Звонил Кирилл. Спросил, что она делает.

Лара ответила, что сидит у компьютера.

— Сетевой шопинг? — Он рассмеялся.

— А что у тебя? — спросила Лара.

— Небольшие проблемы, — сказал Кирилл, — так что с обедом ничего не выйдет, не обижайся. Да и дождь... а обещали солнце.

— Я понимаю, — сказала Лара. — А как же ты без обеда? Заботливая супруга, а как же.

— Я выскочу перекусить в кафе рядом, не волнуйся, — сказал муж. — Целую!

И отбой.

Лара с облегчением отложила телефон и снова посмотрела в окно. Ей пришло в голову — если бы Кирилл не был так занят собой, он бы заметил, как ее корежит при одном его прикосновении...

...Дождь, кажется, прекратился, в природе посветлело. Она выключила компьютер, схватила с вешалки в прихожей плащ и сумку и выскочила из дома.

Она не понимала, почему так спешит. Она чувствовала себя зверьком, вырвавшимся из клетки. Сердце колотилось; задыхаясь, она летела по ступенькам, ударяясь плечом в стены, торопясь неизвестно куда и зачем.

Выскочила из полутемного подъезда и замерла, зажмурившись, подняв голову к небу. Дождь превратился в мелкий невесомый флер, оставляющий на лице ощущение свежести. И светило солнце! И небо было ярко-голубым.

Она шла по улице, испытывая удивительную радость, забыв про зонт, чувствуя холодные капли на лице... но при этом светило солнце!

Она свернула в парк, пустой и мокрый, с сияющими чисто вымытыми деревьями и травой. Пошла по мокрой аллее к пушкам, потрогала рукой холодный мокрый чугун, перевела взгляд на голубоватую размытую Троицу, тонущую в тумане. Стояла и смотрела, испытывая удивительную гармонию с окружающим и покой. И еще светлую радость, впервые за много дней.

Вдруг небо потемнело и полил дождь.

Лара бросилась к павильону с мороженым, влетела внутрь и прислонилась к косяку, переводя дух. Потоки воды с грохотом тарабанили в крышу, от сквозняка легкие белые занавески ходили ходуном. Здесь пахло кофе и мокрым деревом.

Павильон был пуст, лишь в углу сидел единственный посетитель — здоровый бородатый лось в необъятной ветровке цвета хаки — и тоже смотрел на Лару. В руке он держал кажущийся крохотным бумажный стаканчик с кофе. Это был Монах.

Полная немолодая женщина за прилавком отложила книгу и сказала:

— Что вам? У нас только кофе и мороженое.

Глава 11
Дождь в парке
Часть вторая

Они смотрели друг на дружку. Лара с оторопью, Монах — загадочно улыбаясь и пропуская бороду через пятерню.

Наконец он кивнул и сделал приглашающий жест, указав на стул около себя.

Лара, чувствуя смущение, на негнущихся ногах подошла и опустилась на стул. Мелькнула мысль, что она примчалась сюда, словно знала, что ее ждут. Ни с того, ни сего, выскочила из дома и побежала в парк, даже зонт не взяла. Как школьница...

— Это вы меня... — она запнулась.

— ... вытащил из дома? — догадался Монах. — Я. Послал флюид: приходи! Люблю начало осени. Безвременье, туман, листья желтеют. Кофе? Мороженое?

— Кофе, пожалуйста.

Монах встал, едва не опрокинув стол, и подошел к стойке. Вернулся и протянул Ларе стаканчик.

— Спасибо!

— Как ваши дела, Лара? — спросил, рассматривая ее. — Пришли в себя после гостей?

— Пришла. Интересные люди...

— Да, мы такие. Не жалеете, что уехали? Наш патриархальный город не идет ни в какое сравнение с метрополией, его надо любить, к нему нужно привыкнуть. Не скучаете?

— Скучаю, — не сразу ответила Лара. — Не потому, что патриархальный, а потому что чужой.

— Можно пойти работать? Вы кто по профессии?

— Учительница музыки, класс фортепиано. Я думала, но Кирилл против. Он считает, что жена должна обеспечивать уют.

Они помолчали.

Лара вдруг улыбнулась:

— Я видела ваш сайт. Там вы такой... решительный! Нет безвыходных ситуаций, приходите, обсудим... Вы действительно думаете, что все можно решить?

— Не думаю. Но попробовать стоит. Зависит от характера.

— Как?

— Можно сунуть голову в песок и ничего не менять. Можно рвануться...

— А если будет хуже?

Монах развел руками.

— А почему «Бюро случайных находок»? Разве бывают неслучайные находки?

— Бывают. Вы потеряли ключи, ищете, а их нигде нет. Проверили все карманы, ящики, даже под диваном. Нет! И тут вдруг натыкаетесь на них в замочной скважине с той стороны. Вот вам яркий пример целенаправленной находки. А если нашли на улице кошелек, то это счастливая случайность.

— Я прочитала, что вам пишут... — Она рассмеялась.

— Нет пророка в своем отечестве, — сокрушенно сказал Монах.

Он смотрел на нее, откровенно любуясь. Лара почувствовала, как загорелись кончики ушей и вспыхнули скулы.

— Знаете, Лара, если честно, я и думать забыл об этом сайте. Но однажды мне удалось помочь хорошему человеку. Она нашла мой сайт, как вы, и позвонила. Была зима, много снега... красота! Я позвал ее в парк, сюда, сказал, что буду ждать около пятой пушки. Этот павильон был заколочен. Я сидел на скамейке, смотрел на реку, а она опаздывала. Я понял, что она не придет. Вернее, не подойдет. Не решится...

— Не подойдет? Так она пришла, но не решалась подойти? Как вы узнали?

— Почувствовал. — Монах ухмыльнулся. — Если бы я был женщиной, я бы так и поступил. Пришел бы и смотрел издали. Любопытство, как говорят на Востоке, сгубило кошку. Я оглянулся и увидел ее.

— Вы сразу поняли, что это она?

— В парке больше никого не было.

— А что было дальше?

— Я подошел и... — Монах замолчал, интригуя.

— И что? Это была она?

— Да.

— Она передумала?

— Да. Есть вещи, о которых сложно говорить.

— Понятно. Она была... красивая?

Монах пожал плечами.

— Она разводила золотых рыбок. А еще у нее был ручной скат. Его звали Нептун[1].

— Золотые рыбки? — Лара рассмеялась. — Скат? А где она брала морскую воду?

— Это был речной скат.

— Не знала, что в реке водятся скаты. А ваш друг, журналист, тоже детектив? Вам же нужно с кем-то обсуждать и советоваться.

— Да, мы действуем на пару. Кстати, познакомились именно из-за этого дела...

— С золотыми рыбками?

Монах ухмыльнулся и кивнул:

— И придумали детективный союз... гм... толстых и красивых любителей пива. И ринулись в пучину дедукции, так сказать.

Лара рассмеялась.

— А как же полиция? Не мешает?

— Нам? Нет. А вот они считают, что мы путаемся у них под ногами. При этом с удовольствием пользуются

---

[1] Подробнее читайте об этом в романе Инны Бачинской «Маятник судьбы».

плодами наших усилий. Это называется у нас «вставить фитиля правоохранительным органам».

— Получается, вы более успешны, чем они? Почему?

— Именно так и получается. Почему? На сотню, а то и больше преступлений... э-э-э... «неинтересных», так сказать бытовых, случайных, по-пьяни, вдруг попадается одно, которое не лезет ни в какие ворота. Ни подозреваемых, ни мотива... Ничего!

— Глухарь!

— Именно. И мы с Лешей начинаем копать. Как правило, до пятого колена, и непременно что-то вылазит. Понимаете, любой индивидуум таскает всю родословную на спине, как улитка ракушку, образно выражаясь. Как говорили древние, омниа меа мекум порто[1]. А там полно темных пятен, секретов и скелетов в шкафу. Иногда до крайностей не доходит, пережито, забыто, а иногда стреляет. Вот так, живет человек, ничто не предвещает неприятностей — вдруг: бах! Открылся злосчастный ящик, и полезло зло. — Он помолчал. — А вообще, любое преступление решается по определенным схемам... или почти любое. Нужно правильно расставить фигуры и найти связи. Причем там, где их на первый взгляд нет... — Он оборвал себя: расхвастался, распустил хвост в лучших традициях Леши Добродеева. Что значит красивая женщина.

Лара кивнула и спросила:

— А эта женщина, с золотыми рыбками, где она сейчас?

— Наверное, в городе, — сказал после паузы Монах. — Вышла замуж, все у нее хорошо.

---

[1] Omnia mea mecum porto (*лат.*) — «Все мое несу с собой».

— Она вам нравилась?

Монах задумался; пропустил бороду сквозь пальцы. Вспомнил, как она стояла у оградки с видом на реку в своей норковой шубке, вспомнил синий шелковый шарф...

Друг детства Жорик до сих простить ему не может, что он тогда удрал... попросту удрал в Непал. Когда все закончилось и ему удалось вытащить ее из ямы.

Испугался? Он не знал. Он представлял себе весы с качающимися чашками — на одной *она*, на другой — пампасы.

Что-то ведь было, искра проскочила, а он сбежал. Он всегда сбегает.

Однажды он ответил себе почему. Свобода, должно быть. Независимость. Сила. Любые отношения — слабость и страх. Еще обязательства. Несвобода. Как-то так.

— Козел ты, Монах, — сказал Жорик, — такая женщина!

— Да, — сказал наконец. — Она мне нравилась.

Они смотрели друг дружке в глаза.

Лара отвела взгляд первой. Пауза затягивалась.

— А вы, Лара... — Монах запнулся. — Как вы приживаетесь у нас? — Он на лету изменил вопрос, он хотел спросить о ней...

Лара поняла:

— Я замужем шесть лет, — сказала. — Мужа вы видели. Был крупный бизнес, руководил Андрей, брат Кирилла. Он умер четыре года назад, и теперь дела не очень. Потому мы здесь. Кирилл очень самоуверен, никого не слушает, Андрей многое ему прощал. Пивзавод прибыльный, но дело нужно знать и любить. Володя Речицкий, говорят, жалеет, что продал. Я думаю, он не простит Кириллу, да и с лошадьми у него все плохо. Иногда мне кажется, что мы тут ненадолго...

— А раньше вы тоже так чувствовали? Или только здесь?

— Раньше? — Она задумалась. — Нет, наверное. Возможно, переезд, чужие люди. Там у меня было много подруг, мы встречались. Правда...

Она замолчала, но Монах понял: муж не приветствует! Ревнует. Его можно понять, а каково ей? Ревность утомляет, унижает, заставляет оправдываться. Издержки статуса, ничего не попишешь...

— Лара, вас что-то тревожит? — вдруг спросил Монах.

— Меня? Нет! — поспешно сказала она. — Мне нечего бояться.

Новая пауза. Оба вздрогнули от аккордов «Маленькой ночной серенады».

Лара поспешно схватила айфон, поднесла к уху.

Монаху показалось, она испытала мгновенное облегчение, и мысленно выругал себя за дурацкий вопрос: нечего лезть в душу!

— Да, Кирилл! Нет, я вышла пройтись, надоело дома... — Ее словно подменили, она улыбалась и радостно щебетала. — Дождь перестал, и я вышла. Где? В парке, там, где пушки, здесь красиво, видна река... Даже солнце появилось. Конечно! Через пятнадцать минут на площади!

— Нужно бежать? — спросил Монах, когда она отложила телефон.

— Кирилл пригласил в кафе на площади, где пианино стоит... настоящее.

— «Паста-баста»! Знаю. У них фантастические блинчики с апельсиновым вареньем и с мороженым. Называются «Сюзетта». Очень рекомендую. Кофе не хотите допить?

Но она уже не услышала — убежала.

Он смотрел ей вслед. Она стремительно летела по боковой аллее к деревянной лестнице — так было ближе. Она спускалась по ступенькам — мелькнули плечи, легкие каштановые волосы, взметнулся легкий шарфик, и она исчезла.

Монах смотрел на пустую террасу, на пустую лестницу.

Солнце спряталось за тучу, и снова невесомый мелкий дождик зашуршал в листьях...

«От чего или от кого она так бежит? — подумал Монах, отпивая остывший кофе. — И сайт разыскала зачем-то. Красивая девочка. Актриса, однако. Муж позвал, она побежала, но не к мужу. От чувства вины, что сидела в парке с чужим мужчиной. Хотя, казалось бы... тоже мне, грех. И щебетание, и наигранная радость тоже от чувства вины».

Он представил себе, что его жена пьет кофе в парке с кем-то, почти тайно, не собираясь рассказать ему...

И что? Черт его знает. Может, ничего.

Ревность — чувство иррациональное, кто бы спорил, но если припечет, то никакие доводы рассудка не помогут.

Он попытался вспомнить, ревновал ли он кого-нибудь, но так и не вспомнил. Нет вроде. Наверное, это зависит от массы.

Он почесал под бородой, выдохнул и втянул живот.

Пробормотал: «А не попробовать ли стать вегетарианцем?» И далеко ходить не надо, на фабрике полно чаев для похудения. Они с Добродеевым за час настро-

91

чили с десяток рекламок и аннотаций, где клялись, что клиент через две недели становится стройным, как кипарис.

Вспомнил чью-то фразу: «Я не доверяю толстым вегетарианцам», и хмыкнул.

Вспомнил, как она сказала: «Мне нечего бояться»... С чего бы?

Глава 12
Убийца

> Быть или не быть, вот в чем вопрос. Достойно ль
> Смиряться под ударами судьбы,
> Иль надо оказать сопротивленье...
>
> *В. Шекспир «Гамлет». Акт III, Сцена I*
> *Монолог Гамлета. Перевод Б. Пастернака*

Они договорились встретиться у Реброва в девять. Он хотел где-нибудь на стороне, но Ребров сказал: «У меня никто не помешает». И хмыкнул иронически.

Ну что ж, диктует он. Жадная сволочь! Ведь обдерет до копейки. И никуда не денешься.

У него мелькнула мысль, что Ребров блефует с его дурацкими открыточками и «кровавыми» постерами... Или это намек на кровавую баню?

Этому шантажисту платят те, кому есть что терять. Репутация, имя, связи... Он нащупывает больную точку и бьет.

Ходят слухи, что с его девочками засветились очень высокие лица... Сволочь! А еще говорят, на него работает армия осведомителей, и он в курсе всего, что творится в городе.

Все знают, что такое его конкурсы красоты! Уважаемый человек, меценат, столп общества, торгует мордой направо и налево, со всеми на «ты», всюду принят. Гибкий, как сколопендра с ядовитым хвостом. А теперь дошла очередь до него...

Интересно, он всех обхаживает картинками или это ему одному выпало такое счастье?

Он брился, рассматривая себя в зеркало.

«Как на свидание к женщине», — подумал, ухмыльнувшись.

В раскрытую дверцу шкафчика ему были видны флаконы, тюбики, тубы с дезодорантами. Он протянул руку, чтобы закрыть дверцу, но рука замерла в воздухе. Он достал маленький стеклянный пузырек с черной жидкостью, уставился, вспоминая, что это.

Четыре года назад, Тунис, восточный базар... Он словно услышал разноголосый гомон пестрого крикливого человеческого сборища, торговцев, хватающих за руки и предлагающих свой товар, повозок, ослов, рядов с женскими украшениями, пряностями, от которых начинаешь чихать, зелий от всяких хворей и для мужской силы.

Солидный бородатый торговец на смеси языков, помогая себе пальцами, все время повторяя «мужжин» и «мэн» и хлопая себя внизу живота, объяснил и показал, как пользоваться зельем.

Взял пипетку, накапал три капли в сомнительной чистоты стакан и долил воды.

«Три» — он показал три пальца и резанул себя ребром ладони по горлу.

Три капли, не больше, а то каюк.

— Они все тут колдуны, — сказал подошедший соотечественник, — не сомневайся, сработает почище виагры.

Как сработает, он так и не проверил, побоялся, а вдруг какую заразу подцепишь.

Он застыл с пузырьком в руке, потом взболтал и убедился, что зелье живое, не испарилось.

Вытащил пробку, понюхал и ощутил слабый запах плесени. Поднял взгляд и увидел в зеркале свое лицо — напряженное, с нахмуренными бровями; вспомнил энергичный взмах рукой по горлу бородатого торговца и вдруг понял, что он *это* сделает...

...Ребров открыл, он вошел.

— Ты пунктуален, хвалю! Точность — вежливость королей. Проходи!

Хозяин не потрудился одеться, остался в купальном халате; он все время взмахивал головой, отбрасывая назад мокрые после душа длинные волосы.

Гость прятал глаза, ему казалось, что ненависть полыхнет через край и *этот* догадается. Он чувствовал себя неуклюжим и неловким, ему казалось, что тело отказывается ему повиноваться, ему было трудно дышать.

Хозяин достал из бара бутылку виски и два стакана. Разлил. Взял один из стаканов и кивнул гостю — тот взял свой.

Они выпили.

— Ты нашел толковую схему, — сказал Ребров, — беспроигрышный вариант. Не бог весть что, но капает нехило. Не буду ходить вокруг да около. У меня есть доказательства, могу предъявить. Думаю, сойдемся на половине. Точка.

Гость молчал, глядя в стол.

Ребров потянулся за бутылкой, снова разлил. Халат распахнулся; он смотрел на гостя, не стесняясь своей наготы, — великолепный самоуверенный длинноногий самец. Это было еще одним унижением.

Вдруг он поднялся:

— Сейчас! Принесу зажевать.

Он вышел из гостиной. Гость достал из кармана пузырек и опрокинул над стаканом хозяина. Движения его были скупы и осторожны, он принял решение и ни о чем не жалел. Сунул пузырек обратно в карман и с силой провел ладонями по лицу, распрямляя гримасу.

— Не заскучал? — спросил Ребров, расставляя на столе вазочку с орешками и блюдце с нарезанным лимоном. — Поехали! За успех!

— Зачем ты прислал мне Марата? — спросил гость. Ребров рассмеялся.

— Шутка! Надеюсь, ты не обиделся? А неплохо придумано, скажи? Я очень смеялся. Представил, как ты вскрываешь конверт и... — он ввернул неприличное словцо.

— Неплохо, — согласился гость с улыбкой. — Я тоже очень смеялся. До сих пор смеюсь, — добавил он со странной интонацией.

— За успех! — повторил Ребров. — Между прочим, я не против поучаствовать в бизнесе, могу даже помочь с клиентами.

Гость неопределенно улыбался. Они выпили.

— У тебя хорошие картины, — сказал гость, рассматривая картины.

— Иконостас! — хохотнул Ребров. — Почти все местные. Толковые ребята. Не могу удержаться, уже вешать некуда, придется... — Он вдруг замолчал на полуслове, рванул халат. — Жарко!

Гость с любопытством наблюдал...

...Он смотрел на потерявшего сознание Реброва, испытывая...

А что же он испытывал? Торжество и мстительную радость победителя? Радость от унижения врага? Он его переиграл! Хитрого, подлого, сильного врага.

Ребров вдруг шевельнулся и застонал, и он вздрогнул. Ему пришло в голову, что зелье могло не подействовать, что *этот* проспится и... ничего! Что же делать?

Он лихорадочно думал, не сводя взгляда с Реброва. Он больше не чувствовал ненависти. Он трезво взвешивал «за» и «против» и спрашивал себя, готов ли он довести начатое до конца? Покончить раз и навсегда с шантажистом, который уже не выпустит его, как не выпускал других, кому не посчастливилось попасться ему в лапы.

Слухи недаром ходят, их город невелик, все у всех на виду. Дошутился, паяц. Шут гороховый.

Он вспомнил, как открыл большой плотный конверт, вытащил «Смерть Марата» и с оторопью увидел, что у заколотого была его собственная физиономия, вырезанная из фотографии!

Он почувствовал, как взмокла спина и затрепыхалось сердце — не там, где ему положено быть, а в горле, и перехватило дыхание.

Шутка? Или угроза?

Вряд ли, ему некому угрожать. Значит, шутка из тех, что ударяют под дых; жертва корчится, а шутник похлопывает ее по плечу и говорит: «Ты что, обиделся? Это же всего-навсего шутка!»

Он прекрасно понял, кто шутник.

Но это было не все. Это была пристрелка, так сказать, удар ниже пояса, начало, игра в кошки-мышки.

С целью унизить и поиздеваться. А настоящая игра началась несколько дней спустя.

Ребров позвонил и пригласил его на разговор.

...Он не помнил, сколько просидел так. Он не колебался, он был собран и уверен в правильности выбора. Собственно, и выбора-то не было, если он даст слабину, он потеряет все. Значит, он пройдет эту дорогу до конца. Глядя на Реброва, он прикидывал, *как* он проделает... это.

Он нашел ванную комнату, включил свет и открутил кран с горячей водой. Стоял и ожидал, пока ванна наполнится. Закрутил кран и пошел за Ребровым. Перенес его в ванную, сдернул халат и опустил в воду. Открыл зеркальный шкафчик над раковиной, увидел опасную бритву и усмехнулся: это понадежнее, чем нож.

Придал телу позу, как на картине, — шутить, так шутить!

Удерживая безвольную левую руку Реброва, он полоснул ее бритвой чуть выше запястья и опустил в горячую воду. Проделал то же с правой и расположил ее на краю ванны. Отметил тускло блеснувший серебряный перстень и то, как кровь медленно и тяжело стала капать на белый коврик. Мельком удивился, что прошло без сучка без задоринки, как будто он всю жизнь только тем и занимался, что резал чужие вены.

Постоял, наблюдая за красными клубами в воде; поднял взгляд и увидел себя в зеркале. Не узнал и вздрогнул. Не взглянув на человека в ванне, пошел прочь...

Надев тонкие резиновые перчатки, он снял со стены подходящую по размеру картину, вытащил из рамы; достал из портфеля постер и стал прилаживать вместо картины.

Через пятнадцать минут он закончил и повесил постер на место картины. Нагнулся, присматриваясь, и усмехнулся удовлетворенно: теперь в ванне вместо жертвы Шарлотты Корде лежал шутник Ребров.

Еще примерно минут тридцать он уничтожал следы своего присутствия, повторяя себе, что горят на мелочах.

Когда он уже был готов уходить, он услышал скрежет ключа в замочной скважине.

Он замер на долю секунды; взглянул машинально на старинные напольные часы в углу; они показывали двенадцать пятьдесят семь.

Он едва успел подхватить портфель и метнуться за тяжелую штору, как женский голос позвал Реброва.

Женщина с длинными белыми волосами на осколок секунды застыла на пороге гостиной и побежала дальше по коридору, продолжая звать хозяина. Он услышал, как она вскрикнула, видимо, заглянув в ванную.

В следующий миг она бросилась вон по коридору, еще раз вскрикнула, и вслед за этим раздался звук падения. Настала тишина.

Не веря в удачу, он выбрался из-за портьеры. Она лежала в прихожей лицом вниз; длинные белые волосы разметались по полу. Он понял, что она поскользнулась на коврике, упала и, видимо, ударилась головой о край тумбочки. Он заметил кровь на ее пальцах...

Анфиса! Любимая женщина покойного.

Убийца собирался перешагнуть через нее и уйти, но тут женщина вдруг шевельнулась.

Он отшатнулся, бросившись за дверь гостиной. Он видел, как она приподнялась, опираясь на тумбочку, неловко встала на ноги и бросилась вон из квартиры...

...Он, ухмыляясь, рассматривал пятна крови на полу в прихожей. Не повезло девочке! Интересный поворот намечается...

«Убирайся, — приказал он себе, — она сейчас приведет полицию!»

Глава 13
Горечь и трагизм бытия

Около десяти утра немолодая женщина с девочкой лет трех или четырех поднялись на лифте на пятый этаж. По дороге они разговаривали: женщина объясняла малышке, что лифт — это машина, только ездит не по дороге, а вверх-вниз.

— А почему не ездит по дороге? — спрашивала девочка.

— А по дороге не ездит, потому что нет колесиков.

Они добрались до нужной двери, и женщина вытащила из сумочки ключ. Отперла дверь, и они вошли в прихожую.

— Мама! — закричала девочка. — Мы пришли!

— Сними туфельки, — сказала женщина, и первой прошла в гостиную.

Она застыла на пороге, издав невнятный горловой звук, и закрыла рот ладонью.

— Стой там! — крикнула, видя, что ребенок бежит к ней. — Не иди сюда. Пойдем, Милочка, отсюда, мамы нет дома. Мы подождем ее во дворе.

Она подхватила девочку на руки и выскочила из квартиры.

Дверь громко захлопнулась. По подъезду прокатилось гулкое эхо...

Майор Мельник со товарищи приехали через тридцать две минуты.

Женщина с девочкой ожидали во дворе. Ребенок возился в песочнице, женщина сидела на лавочке, бледная, застывшая, стиснув в руке носовой платочек. Она поднялась им навстречу.

— Что случилось? Вы кто? — спросил майор, здоровенный хмурый детина.

— Я Галина Михайловна, смотрю за Милочкой, — женщина кивнула на девочку в песочнице. — Вчера она ночевала у меня, Аня попросила, у нее были гости. Сегодня я звонила, а она не ответила. Мы пришли, а она... — женщина всхлипнула и снова покосилась на девочку.

— Идемте, расскажете на месте. Гена, побудешь с ребенком.

Она с трудом отперла дверь, так дрожали руки. Вошла первой.

Они затопали следом.

Она встала на пороге, взмахнула рукой:

— Вот!

В гостиной был беспорядок. Сброшенные на пол диванные подушки, пара перевернутых стульев, глянцевые журналы, грязные десертные тарелки и бокалы на длинном журнальном столике, пустые бутылки и пепельницы, полные окурков. Запах остывшего табачного дыма и винный кислый.

На диване полулежала молодая женщина в черном вечернем платье. Голова ее была запрокинута, белые волосы разметались по спинке. Туфелька с левой ноги отлетела к журнальному столику.

— Кто это? — спросил майор.

— Аня Трепакова.

— Живет одна?

— Одна. Они развелись уже два года. Владик... муж иногда берет Милочку. Он бы ее забрал насовсем, но Аня не давала.

— Где она работала?

— В модельном доме, показывала одежду. Вон журналы с ее фотографиями, — Галина Махайловна кивнула на разбросанные по полу журналы.

— Паспорт ее где, не знаете?

— В спальне, с другими документами. Сейчас принесу!

— Просто покажите лейтенанту. Леня, сходи посмотри.

Майор наклонился и поднял один из журналов, пролистал.

Анну Трепакову он узнал сразу. Яркая улыбающаяся блондинка смотрела на него со страниц журнала.

Насмотревшись, майор спросил:

— Лисица, что там?

Лисица, судмедэксперт, небольшой, подвижный, как всегда пребывающий в самом прекрасном расположении духа, отрапортовал:

— Удушение шнуром, явно видны следы. Примерно около двенадцати-четырнадцати часов назад, то есть... — Он завернул манжет рубахи и взглянул на часы: — Около двух-трех ночи.

...Анна Степановна Трепакова, тридцати трех лет, разведена.

Майор пролистал ее паспорт. Поднял взгляд на заплаканную женщину, стоящую рядом, и предложил:

— Давайте поговорим. Где лучше?

— Можно на кухне, — сказала Галина, с ужасом рассматривая мертвую хозяйку. — Что с ней случилось? Сердце?

В ходе беседы майор узнал, что Аня была хорошей, доброй, правда, несдержанной, а с мужем Владиком, Владиславом Андреевичем Трепаковым, они часто ссорились, он ее ревновал, она часто встречалась с друзьями и приходила поздно, у нее много друзей, а он домосед. Работает на дому по компьютерам. Он тоже хороший, очень спокойный, все время в компьютере.

Опять женился. Аня говорила, что его новая — толстая корова, и не давала ему Милочку, а он ее очень любит. Она по его просьбе приводила Милочку в парк, и они встречались, а она боялась, что Милочка расскажет маме, и наказывала не говорить про папу.

Но ребенок есть ребенок. Аня узнала, был страшный крик, она ее выгнала. Через три дня позвонила и попросила прощения, и она вернулась, потому что любит Милочку и деньги никогда не лишние. Иногда, если у Ани гости, Милочка ночует у нее, она вдовая уже восемь лет. Вообще-то Аня называет... называла себя Анфисой.

Друзей много, всех и не упомнишь. Один часто бывает, вроде они встречаются и давно знают друг дружку, зовут Яник, фамилии не знает. Очень представительный. Красиво одетый, на руке кольца, длинные волосы гладко зачесаны и шарф на шее. Вроде артист из театра. В альбоме есть фотографии.

Близкая подруга Олечка Полторак, работает в техникуме, хорошая, приветливая, всегда Милочке принесет то конфетку, то игрушку, она ее очень любит.

Кто был в гостях вчера, Галина Михайловна не знала. Они с Милочкой закупили продуктов, она сделала жаркое, и часа в четыре они ушли. Аню вчера она видела только утром, та вручила список продуктов, попросила прибраться в квартире и забрать Милочку на ночь, потому что у нее гости. Была веселая, радостная, надела новое платье...

Майор Мельник слушал, угрюмо насупившись. Не потому, что имел претензии к Галине Михайловне, как к свидетелю, как ей казалось, и отчего она торопилась и сбивалась с мысли, а потому что был вообще угрюм и насуплен по жизни. Такое выражение лица у него было. При росте под метр восемьдесят, прическе ежиком и пудовых кулаках это производило тягостное впечатление даже на коллег. Майор Мельник редко улыбался — почти никогда, был молчалив, задумчив — стороннему наблюдателю казалось, что он видит, как ворочаются в голове майора мыслительные шестеренки: неторопливо и целеустремленно.

Словом, более неподходящий объект для возможных приколов и гогота коллег трудно себе представить, если бы не странный бзик майора, выраженный в невероятно точном чувстве времени. Так, майор выходил на семь минут перекусить, выскакивал на четыре минуты к кофейному автомату, заканчивал очередной рапорт через тридцать четыре с половиной минуты. А кто по незнанию заключал пари, что майор не уложится, проигрывал.

Подсмеивались, подтрунивали, конечно, но осторожно, так как майор не понимал шуток. Говорили, у него нет чувства юмора. Какое, спрашивается, чувство юмора, если человек пьет кофе три минуты сорок пять секунд?

Если бы это сказал любой другой человек, это приняли бы за шутку. Но майор Мельник, когда говорил, что закончит пить кофе через три минуты сорок пять секунд, не шутил.

Чувство юмора у майора все-таки было, но очень своеобразное, как считал Леша Добродеев, хорошо знакомый с ним и которому майор первому по дружбе «сливал» дозволенную информацию о резонансных преступлениях.

Леша же в свою очередь доносил до ушей майора городские сплетни и всякие бульварные новости. Журналист рассказывал, что однажды майор долго смеялся над его анекдотом, что доказывало наличие у него чувства юмора.

Анекдот, с точки зрения Монаха, был не просто глупым, он был попросту идиотским.

Судите сами: «В Лену никто не бросал монетки, потому что она не фонтан».

Можно смеяться.

Монах был уверен, что майор смеялся не над анекдотом, а над Лешей, потому что как можно не смеяться над человеком, который рассказывает такие дурацкие анекдоты.

— Где ты его откопал? — спросил он.

— Наш айтишник поделился, — ответил Добродеев. — Паренек совершенно оторван от реальности.

— Молодой?

— Лет восемнадцати. Самоучка, но справляется. Вроде Эрика. Помнишь Эрика? — Добродеев хихикнул. Монах насупился. — Такой же неадекват.

Монах не любил, когда вспоминали историю с Эриком, который чуть не убил его, застав в спальне покойной бабушки[1].

— А майору зачем подсунул?

---

[1] Подробнее читайте об этом в романе Инны Бачинской «Маятник судьбы».

Добродеев задумался.

— Черт его знает, — сказал он после паузы. — Интересно было, как он отреагирует. Вроде эксперимента. Говорят, у него нет чувства юмора. Он очень смеялся. Получается, есть?

— А на какую реакцию ты рассчитывал? — дотошно выяснял Монах, в котором проснулся психолог.

Добродеев пожал плечами.

— А ты сам смеялся?

— Я? — удивился Добродеев. — Конечно, нет. Идиотский анекдот!

— Думаешь, майор дурнее тебя?

Добродеев снова задумался...

Глава 14

Оля-Одри

— Откройте, полиция!

Что испытывает человек, услышав подобное заявление, да еще и высказанное угрожающим басом? Вспомнит ли, что нужно потребовать показать удостоверение? Не факт.

Молодая женщина приоткрыла дверь и настороженно уставилась на крупного мужчину самой мрачной наружности.

— Ольга Ивановна Полторак? — спросил мужчина. — Майор Мельник, Заводское РОВД. Нам нужно поговорить.

Она кивнула и попятилась, давая ему пройти.

— А удостоверение у вас есть? — спросила в спину. — Кто вы такой? В чем дело?

— Может, присядем? — предложил майор.

Они уселись в гостиной: майор в кресло, девушка на диван. Сидела чинно, не касаясь спинки, сложив руки на коленях, не сводила с него настороженного взгляда.

Майор обежал взглядом красивую мебель, кружевные гардины...

Это была приятная светлая комната, где во всем чувствовалось присутствие женщины и, увы, отсутствие мужчины. Бежевый с зеленым ковер на полу, белый диван с отделкой из коричневого лакированного дерева, такие же кресла; изящный длинный журнальный столик со странного вида кривой вазой цветного стекла с конфетами. Горка с разноцветным стеклом и на низкой подставке громадный китайский горшок с кустом, обильно цветущим замысловатыми бледно-розовыми цветками.

Майор Мельник не увлекался цветами, и дачи у него не было, но куст ему понравился, и он время от времени поглядывал на него. Девушка ему тоже понравилась, в ее лице было что-то искреннее и простодушное.

— Где вы были вчера вечером? — начал майор.

— Я? А что случилось? — Майор видел, что ей не по себе — визиты полиции, да еще в лице майора Мельника, — ситуация не для слабонервных.

— Отвечайте на вопрос, Ольга Ивановна.

— Вчера я была в гостях у своей подруги Ани Трепаковой, — отчеканила девушка. — А в чем дело?

— Кто еще был в гостях у Анны Трепаковой?

— Да что случилось? Девочки были, я, еще Дина Панайоти, Лена Глыба, Саша Продан и Вера, фамилии не знаю.

— Что за человек ваша подруга?

— Анечка? Нормальный человек. Восемь лет назад была Мисс города, я тоже участвовала, но пролетела. Яник устроил ее в Дом моделей. Была замужем, развелась два года назад. Владик хороший парень, но очень простой, он ее никогда не понимал. У них дочка Милочка, ей скоро четыре. Владик женился, она тоже по компьютерам. Я их встречала, ничего особенного, Анечка против нее красавица. Я ей все время говорила, пусть берет Милочку, он же отец... — Девушка запнулась. Майор смотрел выжидающе. — Анечка ревновала и не хотела, чтобы он виделся с Милочкой...

— Он платил алименты?

— Конечно! Владик хороший человек. Даже сверх платил...

— Чтобы давали ребенка? — догадался майор.

Девушка кивнула.

— Кто такой Яник?

— Яков Ребров, руководитель фонда «Мисс города». Но это неофициальное название, на самом деле он называется «Культурно-историческое наследие». Яник организовывает всякие мероприятия, конкурсы, фестивали. Когда-то он заведовал Домом культуры химиков. Его все в городе знают.

Майор Мельник Якова Реброва не знал; никто из его знакомых девушек участия в конкурсе не принимал. Да и не было у него знакомых девушек.

— В каких отношениях ваша подруга и Ребров? — спросил он.

— Они встречаются. Уже год.

— Он был вчера у вашей подруги?

— Нет, были только девочки.

— Когда вы разошлись?

— В начале первого вызвали такси и разъехались. Соседи пожаловались? У Анечки ужасные соседи. Но мы же ничего! Ну, выпили немного, посмеялись, потанцевали... Да что, наконец, случилось? — воскликнула девушка.

— У вашей подруги были враги? — Майор проигнорировал вопрос девушки.

Он, конечно, мог, как классический следователь из романа, напомнить, что вопросы здесь задает он, но не стал — ему не хотелось ее пугать. Хотя, куда уж больше.

— Враги? — недоуменно переспросила девушка. — Были?! В каком смысле? Аня... что? Умерла? Господи, да скажите наконец, что случилось!

— Ваша подруга сегодня утром была найдена мертвой.

Девушка ахнула. Она смотрела на майора, словно пыталась рассмотреть в его лице некую возможность того, что неправильно поняла его или не расслышала его слов.

— Что значит — была найдена... — растерянно пробормотала она. — Как это? Мы ушли все вместе, Аня заперла дверь. Не понимаю... А как же Милочка?

— Враги? Соперники? Кто мог желать вашей подруге смерти?

— Господи! Никто! О чем вы? Аня красивая, у нее хорошая работа... Конечно, многие ей завидовали. Завистники всегда есть, но чтобы убить? Да и потом... она так высоко залетела, какие там соперницы! Она была лучше всех. — Оля покачала головой. — С Владиком они некрасиво разошлись, он ей угрожал из-за дочки, но это было давно, и Аня уже позволяла ему видеться с Милочкой. Да Владик и мухи не обидит! Может, грабители?

— Не похоже, замок в порядке. Ваша подруга открыла убийце сама.

— Вы думаете, это был знакомый?

— Что за человек Яков Ребров?

— Если вы думаете, что Яник мог... — Она с сомнением покачала головой. — Он, конечно, не особенно приятный тип, часто врет, позер, хвастун, любит женщин... да! Но он безобидный. Аня его очень ревновала. Тем более девушки сами готовы... понимаете?

Майор кивнул.

— Он как-то палец порезал, Аня рассказывала, и закатил истерику, когда она прижгла водкой. Уж скорее его дружок Речицкий, этот способен на все. Все знают! То драки, то разводы. Он спонсирует фонд Яника, а тот знакомит его с девушками. У них старая дружба, еще со школы.

— Адрес Реброва знаете?

— Знаю. Пятницкая, четыре, квартира одиннадцать. Его офис там же, только с улицы, и мраморная плита висит с золотом. А в квартиру вход со двора.

Майор Мельник нахмурился, запоминая, и спросил:

— Возможно, кто-то угрожал вашей подруге? Письма? Посылки? Звонки? Пытался завести знакомство? Преследовал?

— Нет вроде. Аня не говорила. Ну, были какие-то на показах, фотографировали, выкладывали в Фейсбуке, фотошопили себя с ней, но угроз не было. Как всегда, мелкие хулиганы. Были звонки, всякие глупости, вроде «давайте встретимся», «я тебя люблю», «давай поженимся». Иногда писали гадкие комменты, но это, по-моему, больше женщины. Аня всегда смеялась, читала вслух и смеялась. Да и не впустила бы Аня чужого... — Оля закрыла лицо руками и заплакала.

Майор Мельник некоторое время рассматривал плачущую девушку, потом поднялся и пошел в кухню.

Пошарил в буфете, нашел чашку, налил воды из-под крана. Принес, протянул.

Она взяла, пригубила. Смотрела на него, словно ожидала каких-то слов, после которых что-то прояснится, от которых станет легче и появится смысл.

Таких слов у майора Мельника не было. Он кашлянул и сказал:

— Чаем не угостите?

Получилось не очень уместно, с какой-то просительной интонацией, ему несвойственной, и еще как будто он использовал в личных целях служебное положение. Но она плакала, а майор, несмотря на жесткость и мрачную физиономию, не выносил вида плачущих женщин.

— Чаем? — Она уставилась на него непонимающе. — Да, да, конечно! Сейчас принесу! — Она вскочила.

— Давайте в кухне, — сказал майор. И зачем-то добавил: — Не успел позавтракать.

Это прозвучало диссонансом с его внешностью и получилось трогательно. Женщина генетически настроена кормить мужчину. Не надоевшего сожителя, который все время хочет есть и шарит в холодильнике, а вот такого... большого, сильного, стоящего на страже с пистолетом наперевес.

Майор с трудом поместился в крошечной кухоньке и осмотрелся. Обстановка здесь также говорила о том, что мужская рука в доме отсутствует. Розовые и голубые фиалки на подоконнике, кружевная занавеска, вышитые салфеточки, пестрые керамические тарелки на стенах.

— У меня есть мясо, — сказала Оля. — Будете? Еще сыр. Могу пожарить картошку.

— Картошки не надо. Только чай и хлеб с сыром, — сдержанно сказал майор Мельник.

Они пили чай. Майор Мельник — крепкий, без сахара, Оля — слабый, с медом.

— Вы его найдете? — спросила девушка.

— Найдем. Скажите... — Он чуть запнулся, соображая, как обратиться к ней — теперь, когда они пьют чай и таким образом вступили в какие-то личные отношения. Сказал после некоторого колебания: — Оля... — и кашлянул. — Ваша подруга в последнее время не была огорчена, возможно, вам бросились в глаза какие-то перемены в поведении или неуравновешенность?

— Ну, что вы! У Анечки был сильный характер! Она могла так приложить... Помню, к ней пристал какой-то пьяный в ресторане, присел за наш столик с бутылкой шампанского, так она его этой бутылкой стукнула по голове! — Девушка улыбнулась и вздохнула.

Майор Мельник понял, что она сейчас снова расплачется.

— А где вы работаете? — поспешно спросил он.

— Преподаю эстетику в торговом техникуме. Я закончила наш пед.

— Эстетику? — удивился майор Мельник. — Не знал, что в торговле нужна эстетика.

— Ну как же! В торговле эстетика первое дело. Товарный вид, реклама, даже внешний вид и поведение продавцов!

Майору хотелось спросить, почему она одна, но он не решался.

— У вас опасная работа, — сказала вдруг девушка. — С убийцами и всякими преступниками... Вы, наверное, и дома нечасто бываете, хорошо, что вас дома понимают.

Майор Мельник услышал: «Ты женат? У тебя есть семья? Любимая женщина?»

— Дома бываю нечасто, — сказал он после продолжительной паузы. — Семьи нет.

Он насупился еще больше, вспомнив бывшую жену Василису, паспортистку, почти коллегу, серьезную неулыбчивую женщину, которая все силы бросала на борьбу с микробами. Протирала вонючей дрянью дверные ручки, столы, подоконники, а также требовала вытирать ноги в прихожей и показывать вымытые руки.

Тоска и мрак даже для такого серьезного мужчины, как майор Мельник. В конце концов Василиса устала воспитывать мужа, собрала вещи и отбыла в другой город, где как раз подвернулась вакансия по ее профилю.

Они сдержанно попрощались в аэропорту. Василиса сообщила майору, что он хороший человек и товарищ, но для семейной жизни этого мало, нужно еще единение душ.

Майор хотел спросить, что она имеет в виду, но не спросил и только кивнул.

«Ты еще встретишь свою любовь», — сказала Василиса, и майор снова кивнул.

В голосе бывшей жены прозвучали виноватые нотки, и у майора зародилось смутное подозрение, что Василиса уехала не просто так, а к любимому мужчине...

Оля вспыхнула и спросила:

— Может, все-таки, картошки?

Майор Мельник сказал:

— В другой раз. Мне пора, — и поднялся. — Если что вспомните, звоните.

— Вы тоже, — невпопад ответила девушка.

Он спускался по лестнице, а она смотрела ему вслед. Ему хотелось оглянуться, но это говорило бы о слабости, и майор удержался от порыва...

Глава 15
Бомба!

Чем меньше фактов, тем красивее схемы.

Из законов о научных исследованиях

Улица Пятницкая, дом четыре, квартира одиннадцать. Почти напротив театра, центр города. Офис наследия в этом же здании на первом этаже. Мраморная вывеска сообщала, что здесь находится фонд Культурно-исторического наследия; мраморное крыльцо, чугунного литья перила — все солидно, со вкусом, видимо, поработал хороший дизайнер.

Товарный вид, вспомнил майор Мельник слова Оли.

Офис был закрыт. На крыльце — несколько желтых листков, занесло, видимо, из театрального скверика. Значит ли это, что дверь несколько дней не открывали?

Он несколько раз позвонил в дверь квартиры Якова Реброва, но ему не ответили.

Телефон тоже молчал. Майор несколько раз прослушал длинные гудки и послал помощника по соседям за информацией.

Дама из соседней квартиры долго выясняла, кто они такие, потребовала показать удостоверения и, наконец, сообщила, что Яника не видела уже несколько дней, наверное, он в отъезде за границей, он много разъезжает, его всюду приглашают в жюри, правда, обычно он предупреждает, что нужно покормить Ляпу и полить цветы.

Она разволновалась и вышла из квартиры как была, в халате и тапочках, приложила ухо к двери Реброва и сказала, что там мяукает Ляпа. После чего решительно вставила ключ в замочную скважину.

Майор Мельник и лейтенант переглянулись, и майор кивнул: не волнуйся, мол, пока без ордера.

Дверь распахнулась, и соседка вошла первой.

В прихожей горел свет. К ним, громко мяукая, бросилась большая белая кошка.

— Яков Юрич! — закричала соседка. — Вы дома? Ляпочка, что случилось?

Гостиная была пуста, под потолком сияла люстра-антик с полусотней стилизованных под свечи лампочек.

— Да что же это такое? Ничего не понимаю! — восклицала соседка.

Она сунулась в распахнутую дверь ванной комнаты и по инерции успела спросить:

— Яша, вы... — И тут же закричала отчаянно и отшатнулась.

Майор Мельник отодвинул ее и встал на пороге.

Здесь также горел свет. В ванне, наполненной красной водой, лежал мужчина: голова его упала набок, лицо, полузакрытое черными прядями волос, было серым, рот мучительно оскален; островками торчали из воды мосластые колени; страшная скрюченная правая рука свисала с края ванны, на перерезанном запястье запеклась черная кровь; тускло блестел на среднем пальце массивный серебряный перстень; на белом коврике окаменела черная лужа; там же посверкивало лезвие раскрытой опасной бритвы и валялось скомканное окровавленное полотенце. И завершающим штрихом — перевернутая пустая бутылка из-под виски и стакан на полу.

— Ой, да что же это такое! — заголосила соседка. — Яшенька, господи, зачем?

Майор кивнул лейтенанту, тот приобнял женщину за плечи и вывел в прихожую. Майор слышал, как она там плакала и что-то выкрикивала, а лейтенант бормотал, утешая.

Хлопнула дверь, и в квартире наступила тишина.

— Она забрала кошку, — доложил лейтенант, появившийся на пороге.

Майор кивнул.

По предварительному заключению экспертизы в лице судмеда Лисицы, покойный был мертв около трех суток; смерть наступила в результате обильного кровотечения, вследствие перерезанных на обеих руках вен, с каковой целью была использована опасная бритва фирмы «Золинген», обнаруженная на коврике около ванны. Левая рука оставалась в горячей воде, что способствовало усилению кровотечения, правая лежала на краю ванны. Предположительно, он был пьян — насколько, выявит экспертиза; самоубийство не исключается.

Предсмертной записки Яков Ребров не оставил. Гостей, похоже, не принимал, на полу валялась сброшенная одежда. Зеркальный шкафчик в ванной с десятками бутылочек и тюбиков с шампунями и лосьонами был раскрыт — здесь, видимо, хранилась бритва.

В сейфе были обнаружены двадцать тысяч долларов, с десяток золотых и платиновых украшений — цепочек, крестиков, перстней, два браслета в виде массивных цепочек, личные и рабочие документы, а также коллекция фотографий постельных сцен, попросту компромат, или золотой фонд.

Майору показалось, он узнал мужчину с фотографии, это был чиновник из мэрии, с которым он когда-то пересекался по службе.

Остальных он не знал, но допускал, что это были люди известные и небедные. Что наталкивало на мысль о подпольных занятиях руководителя фонда, а попросту о банальном шантаже.

В запертой тумбе письменного стола обнаружилась изрядная коллекция порноснимков. Здесь были одни девушки, видимо, соискательницы титула «Мисс города», подумал майор. Компьютер Реброва был изъят и передан для изучения в технический отдел. Если там что-то есть, ребята найдут.

На полу в прихожей были обнаружены пятна крови. Как показал анализ, кровь принадлежала женщине...

Опрос соседей не прояснил ничего. Никто ничего не видел и не слышал. Правда, сосед из квартиры сверху упомянул, что его собака, спаниель Чампи, беспокоился и даже выл позапрошлой ночью, видимо, что-то чувствовал. Соседка, которая забрала кошку, рассказала про девушку Аню, бывшую «Мисс города», с которой Яша встречается уже давно, почти год. Хорошая девушка, красивая, модель в Доме моды. Подарила ей несколько журналов со своими фотографиями. Часто бывали гости, в основном мужчины, но вели себя спокойно, кажется, играли в карты. До этого были разные девушки... ну, вы понимаете...

Она понизила голос:

— У него работа такая — то прослушивание, то консультация. Да, да, в офисе внизу, но иногда и дома. Но это до Ани. Часто бывал бизнесмен Речицкий. Яшенька говорил, они школьные друзья. Хороший человек, юморист, всегда пошутит и скажет комплимент. Три дня назад? Она задумалась. Тихо было. Вроде хлопнула дверь, около одиннадцати или позже, но, может, это было раньше. Я принимаю снотворное, плохо спать стала. Когда видела Яшеньку в последний раз?

Она снова задумалась.

— В понедельник, кажется. Ну да, в понедельник. Сегодня у нас четверг, значит, четыре дня назад. Утром, он шел на работу, около десяти. Нарядный, в белом костюме... Он вообще франт, белое любил, еще разноцветные шарфы накрутит вокруг шеи, а на руке золотые браслеты, очень стильный. Как артист или художник, богема, одним словом. Поверить не могу, что такое горе, как живой, такой воспитанный, бедная Анечка, наверное, поссорились, и Яшенька наложил на себя руки...

Дальше пошла лирика.

Майор Мельник поблагодарил свидетельницу, попросил звонить, если вспомнит что-нибудь, и распрощался.

Обыск в офисе ничего не дал. Книги, программы мероприятий, красочные приглашения, сотни папок с фотографиями красивых девушек. Скайп, Фейсбук, десятки друзей и подруг, ежедневник с расписаниями встреч — судя по их количеству, Ребров трудился в поте лица. Деловые встречи, обсуждения, условия.

Ничего личного, ничего угрожающего. Несколько записных книжек, некоторые очень старые, та же история: сотни имен, адресов и номеров телефонов. Ребров был популярной фигурой на городском горизонте. Официальные письма из мэрии, театра, филармонии, администрации городского парка с предложениями и условиями проведения мероприятий ко Дню города, конкурсов песни, классического танца, «Мисс города», детских утренников, новогодних балов и т.д. Папки с набросками реклам, анонсов, приглашений и программок. Видеотека — клипы с девушками: одетыми, раздетыми, в театральных костюмах, в париках, с косами и бритых наголо.

На письменном столе — фотография в серебряной рамке: Ребров и Речицкий в обнимку, оба радостные и смеющиеся. Ребров показывает два разведенных пальца — виктория!

Если Реброва майор Мельник не знал, то Речицкий был ему известен как бузотер, хулиган и скандалист. Его в городе знали все.

Что могло заставить бонвивана Реброва покончить с собой? Выпить почти литр виски и вскрыть себе вены. Что? Неизлечимая болезнь? Несчастная любовь? Долги? Депрессия?

Ни то, ни другое, ни третье. Все у него было в порядке. На первый взгляд. И деньги были.

Может, не самоубийство? Тем более принимая во внимание подпольный бизнес Реброва. Хотя трудно поверить, что он светился, обходя жертв самостоятельно, скорее всего, была отработана схема, и жертва не знала, кто ее шантажирует, — Ребров оставался в тени. Но умному человеку не составило бы труда вычислить, кто есть кто.

Но опять-таки, ну, засветился клиент с девочками, ну и что? Кого этим сейчас удивишь?! Кто-то заплатит — вроде типа из мэрии, кто-то пошлет подальше, но чтобы убить? Сомнительно. Тут нужен мотив посерьезнее.

Речицкий нетрезвый, растерянный, матерящийся от беспомощности, повторял:

— Эх, Яник! Дуралей, как ты мог? Почему не сказал? Не верю! Не такой он человек! Он боец! Какая на хрен депрессия? Он что, баба? Что вы мне тут... Фигня! Ну, выпил, ну и что? Мы же вместе в субботу, вместе козу водили, начали с «Английского клуба»... В «Белой сове» на стриптизе! У него день рождения через месяц, попросил подарить ему Филиппа Патека! Обожал часы.

Не верю! У него были враги! Артур Ондрик с его гребаной галереей! Яник смеялся над ним, говорил: картины дерьмо. Яник понимал в живописи, у него работал художественный кружок... видели картины? Давно уже, лет пятнадцать, когда он был директором Дома культуры. Артур последняя сволочь, вполне мог отравить! Столкнуть с крыши... Меня тоже! Сколько я ему морду бил! Убить мало! А что Анфиска говорит? Может, она? Та еще стерва! Хотела, чтобы он женился, скандалила... Я ему говорил, развяжись, она стерва, на таких не женятся... да и зачем? Тебе баб мало? Вот она его и...

Речицкий прищелкнул языком. Дальше текст стал несколько неразборчивым и содержал в основном междометия, восклицания и ненормативную лексику.

Об убийстве Ани-Анфисы Речицкий ничего не знал. Сообщил, что последние два дня сидел у себя в конюшне, разбирался с коллективом и лошадьми.

Узнав, был потрясен настолько, что проревел, сжав кулаки:

— Убью! Кто? Хоть что-то вы... такие-растакие, знаете? За что мы вам налоги платим?

Долго не хотел уходить, нес совсем уж запредельное, попросил воды и заплакал. Сказал, что он сволочь, потому что переспал с Анфисой, потому что ему было интересно, что Яник в ней нашел. Хорошо, что не успел рассказать Янику.

Майор Мельник только головой покачал.

После общения с бизнесменом он чувствовал себя так, будто целый день разгружал вагоны, и ему пришло в голову, что Речицкий — энергетический вампир, про которых рассказывал Леша Добродеев из «Вечерней лошади».

Легок на помине, тот позвонил, так как до него не могла не дойти информация об убийстве девушки, которую он, разумеется, знал, а также о возможном самоубийстве Реброва, которого он также прекрасно знал, и теперь Леша бил копытом и ржал в ожидании информации. Впрочем, бесцветное «ожидание» не передает ощущений журналиста.

Вожделея! Именно! Вожделея информации.

Майор вызов сбросил, ему было не до Добродеева.

* * *

Он ходил по квартире Реброва не торопясь, внимательно осматриваясь, словно ожидал, что ему откроется нечто, что прольет свет на смерть жертвы. Долго стоял перед картинами, зелеными пейзажами и разноцветными натюрмортами.

Их было много. Вся стена напротив застекленных книжных шкафов была увешана картинами.

«Как в музее», — подумал майор, у которого в доме висела всего-навсего одна картина, оставленная Василисой: «Три богатыря».

Листал массивные альбомы, удивляясь количеству фотографий хозяина — это как же нужно себя любить! На морском пляже, на яхте под белыми парусами, в ресторане, на пикнике в лесу, на даче с шашлыками. С девушками, радостный, улыбающийся. С другом Речицким, в мужской компании, даже в сауне.

Он раскрывал шкаф во всю стену в спальне, забитый дорогой одеждой, половина вещей была еще с ярлыками. Выдвигал ящики секретера, рассматривал стопки бумаг, блокноты, программы, то, что уже видел.

Обратил внимание на две маленькие открытки, не то китайские, не то японские. Обе неподписанные. Цепочка птиц по диагонали, а в центре керамическая фигурка животного с красными ушами, похожего на волка или лису. Провел пальцем по блестящему рисунку, ощутил шероховатость — ручная работа? Тушь?

Помогая себе карандашом, рассматривал всякую мелочь в турецкой керамической вазочке: ключи, монетки, крошечную нефритовую фигурку Будды — нэцкэ, несколько разноцветных скрепок, брелок с миниатюрным полицейским джипом вместо ключа.

Покрутил машинку в руках и обнаружил, что это компьютерная флешка.

Он забрал флешку домой, чтобы посмотреть в спокойной обстановке.

Это была запись, скорее всего, скрытой камерой, причем сделанная давно. Низкое качество записи, провалы, помехи, черно-серые волны... копия? Все это мешало рассмотреть детали, но в общем сюжет был предельно ясен.

Спальня не то в квартире, не то в гостиничном номере. Большая кровать, на ней мужчина и женщина, рядом прикроватная тумбочка с вазой, бокалами и бутылкой, судя по размеру и форме, видимо, шампанского. Камера установлена со стороны изножья, похоже, дешевая китайская «мыльница». Тот, кто ее установил, не нуждался в лаврах оператора, ему достаточно было сделать персонажей узнаваемыми.

Скомканные простыни, сброшенные на пол подушки, заковыристые позы, смеющиеся лица. Женщина с длинными светлыми волосами — резким жестом она отбрасывает их с лица — смеется, что-то говорит мужчине. Звука нет, но мимика, позы, жесты вполне выразительны.

Они пьют из бокалов. Женщина хохочет, движением головы отбрасывая длинные волосы. Мужчина обнимает ее, прижимает к себе, видимо, делает ей больно — она морщится, кричит и отпихивает его, он в ответ бьет ее по лицу.

Пробел на полминуты. Затем изображение появляется снова, но нечеткое, дерганое, мельтешащие неясные фигуры; разобрать, что происходит, практически невозможно.

Вдруг снова пошли довольно четкие черно-белые кадры: простыня в черных пятнах, неподвижная обнаженная женщина, ее запрокинутая голова и острый подбородок, разбросанные в стороны руки; обнаженный мужчина, склонившийся над ней. Секунда, другая...

Вдруг он резко отшатывается, вскакивает и начинает метаться по спальне, собирая с пола одежду, пропадая из ракурса и вновь появляясь. По резким нескоординированным движениям видно, что он растерян и ему страшно. Потом снова пустота около тридцати секунд — никакого движения, лишь женщина в скомканных простынях; мужчина исчез. Черный экран. Конец.

Оторопевший майор Мельник прокрутил кино несколько раз.

Женщина была ему неизвестна, мужчину он узнал сразу. Это был Речицкий.

Где происходило отснятое, понять было трудно. Квартира, гостиничный номер... неясно. В ракурсе только кровать, остальное в тумане.

Дата, когда была сделана запись, отсутствовала. Но у майора создалось впечатление, что запись старая, сделана примерно лет десять назад, не меньше.

Речицкий на ней выглядел намного моложе, что бросалось в глаза, несмотря на низкое качество изображения.

«А вот это, пожалуй, тянет на мотив», — подумал майор.

Друг Яник тянул из друга Володи деньги и пугал кинофильмом. Ничего личного, просто бизнес. Были и другие, кто давал деньги. Вот откуда шикарная квартира и все остальное.

Из опыта майор Мельник знал, что такие как Ребров не кончают с собой, так что надо копать дальше.

А убийство Анфисы-Ани каким боком? Что это? Как они связаны?

Смерть Реброва три дня назад, спустя чуть более суток — смерть девушки. То есть Ребров был мертв почти два дня, а его подруга ни сном, ни духом?

Поссорились? Она устроила междусобойчик с девочками, а он лежал в кровавой ванне с перерезанными венами. И непонятно, самоубийство или... нет.

Свет везде горел, убийца, если Ребров был убит, не выключил машинально свет в ванной комнате — излюбленный изобличающий прием детективных романов.

Бокал один, с отпечатками Реброва, никаких следов пребывания гостя. За два дня ни одного звонка от Анфисы.

Все тот же вопрос: поссорились или знала, что бойфренд мертв? Последний звонок Реброва Анфисе за сутки до смерти. Они говорили четыре минуты. О чем, уже не узнать. Что же она ему сказала, что он перерезал себе вены? Или... Или.

Было около трех, когда майор Мельник наконец улегся.

Спал он плохо, провертелся до утра и поднялся недовольный и невыспавшийся...

Глава 16

Громкое дело

Судьба замедлила сурово
На росстани лесных дорог...
М. Волошин «Судьба замедлила...»

Технари-компьютерщики сумели подобрать «ключи» к компьютеру Реброва, в результате чего обнаружилось много интересного.

Целая фильмотека порнозаписей с участием известных в городе предпринимателей, чиновников, профессуры местных вузов и неизвестных мужчин и девушек, в которых опознали несколько «воспитанниц» руководителя фонда, то есть оригиналы, с которых были напечатаны снимки из сейфа. Что укрепляло в подозрении о банальном шантаже — тайном бизнесе покойного, «доившего» героев записей.

Стало понятно, откуда у него роскошная квартира, деньги, безумное количество дорогой одежды и частые путешествия за кордон. Сюда как нельзя лучше вписывался фильм с Речицким и девушкой. Репутация бизнесмена была хорошо известна, это был скандалист, драчун и пьяница, по жалобам пострадавших заводились дела, но жертвы, остыв, шли на мировую с оскорбителем, Речицкий с полгода сидел тихо, а потом все повторялось.

Майор разыскал в архиве дело бизнесмена двадцатилетней давности, когда драка закончилась поножовщиной. Речицкий обвинялся в нанесение тяжелых телесных повреждений, и если бы жертва не выжила, то бизнесмен загремел бы далеко и надолго. Но тот выжил, получил, видимо, приличную сумму, а Речицкий отделался условным сроком в три года. Не обошлось, разумеется, без мэтра Рыдаева, ловкого и предприимчивого адвоката дьявола, который за приличный гонорар отмажет отцеубийцу, а тут всего-навсего любитель баловаться ножичком...

Все кусочки пазла или большая их часть встали на свои места, и вырисовалась некрасивая биография руководителя фонда: девушки для любовных утех и тайные записи с целью шантажа. Не для себя же он делал это кино!

А каким боком фильм с участием дружбана Речицкого? Зачем он его записывал? Подсунул девушку и установил камеру, записал... зачем?

Разве не ясно? Шантаж! В том-то и дело, что неясно. Речицкому с его репутацией пофиг все порнофильмы, даже рад был бы такой рекламе. Возможно, Речицкий случайный персонаж, нечаянно попавший «на хату» с камерой?

Стечение обстоятельств? Случайное знакомство с девушкой... и так далее. А камера записала.

Можно вообразить себе удивление Реброва, когда в главном герое он увидел своего друга. Если его «хата» и его камера.

А если не его, то чья? Хрен его знает. Непонятно.

Ну увидел, и что сделал? Кто жертва? Где труп? Речицкий главный спонсор фонда... чем не шантаж? Не сексом, а убийством... Это вероятнее.

Майор вспомнил, как Речицкий бурно реагировал на смерть Реброва, даже заплакал. Такое вряд ли сыграешь. Значит, все-таки дружба. А запись? Хотя... черт его знает. Когда приспичит, еще и не то сыграешь, и плакать будешь крокодиловыми слезами, и клясться мамой и папой. Тем более он был пьян. Бизнесмен — человек со многими талантами.

Никак проступает мотив? У персонажей из порнофильмов мотив для убийства Реброва слабоватый, а у героя фильма с убийством... очень даже. Хотя, не факт. Достать шантажиста хотелось многим. Его растущие аппетиты, состояние подвешенности жертвы... чем не мотив? По достижении точки кипения жертва возмутилась и перекусила веревочку, на которой висела.

Он вспомнил Олю и нахмурился, подумав, что она тоже побывала в руках Яника и бог весть чем занималась...

...Речицкий распахнул дверь в кабинет и закричал с порога:

— Ну что, майор? Нашли эту сволочь? Поймали?

— Присядьте, Владимир Иванович, поговорим.

Речицкий упал на стул перед письменным столом; настроен он был агрессивно, смотрел набычившись; снова был нетрезв.

— Поговорим? — рявкнул. — О чем? Я сказал все, что знал! И вообще, мы, общественность, уверены, что убийца один. Анфису он, и Яника тоже он. Весь город гудит, майор, и если в ближайшее время вы не найдете убийцу, то пеняйте на себя! Народ с вас спросит! В Интернете вой, только ленивый вас не ругает, вам все припомнят! И скандалы в высших эшелонах, и коррупцию, и крышевание проституток, думаете, никто не знает?

Он, заводясь, выкрикивал все новые и новые обвинения.

Майор Мельник молча слушал.

Речицкий выдохся и замолчал.

— Владимир Иванович, хочу показать вам одну запись, садитесь поближе. — Голос у майора был ровным и бесстрастным. Он развернул компьютер в сторону Речицкого. — Смотрите.

Речицкий смотрел на экран; майор Мельник не сводил взгляда с лица бизнесмена. Тот, казалось, мгновенно осунулся и побледнел; было видно, что он потрясен.

Майор выключил компьютер и спросил:

— Что это было, Владимир Иванович?

— Откуда это у вас? — хрипло выдохнул Речицкий.

Майор Мельник смотрел молча.

— Нашли у Яника? Это было у него?

— Может, расскажете, — предложил майор.

Речицкий молчал, переваривая увиденное. Весь раж с него слетел мгновенно, и теперь перед майором сидел растерянный и угрюмый человек. Было видно, что он лихорадочно прикидывает, что следует сказать, о чем умолчать, прикидывает, как уменьшить урон от удара.

Молчание затягивалось.

Майор не напирал, ждал.

Речицкий молчал.

— Откуда это у него? — Речицкий потер лоб. — Откуда это вообще? Черт, ничего не понимаю! — Он помолчал и спросил неожиданно трезвым голосом: — Я могу позвонить своему адвокату?

Майор Мельник понял, что Речицкий пришел в себя и больше ничего не скажет.

Глава 17

Монах... куда ж без Монаха!

После поворота событий от плохого к худшему цикл повторится.

Следствие Фарнсдика из 5-го следствия

Монах решил начать писать мемуары, ну там, путешествия, приключения, нападение тигра и укусы ядовитых змей, дружба с ламами из непальских дацанов и встречи с необыкновенными людьми.

Леша Добродеев давно предлагал, но то одно мешало, то другое.

Только усядешься за компьютер, только откроешь чистый лист, напишешь: *«Глава первая»* или *«Предисловие. О себе»*, или *«Немного о себе»*, как вдруг звонок! Деловой партнер и друг детства Жорик запутался в налогах, опоздал, не посчитал, в итоге наехала царева служба...

Одним словом, *бежи*, Монах, выручай! А то еще Леша позвонит с дурацкой сплетней, давясь от смеха будет кричать: «Нет, ты только представь себе, Христофорыч! Это же фигня полная!»

А если телефон молчит, то Монах погружается в воспоминания, ностальгирует, настроение у него портится и творческий порыв проходит. Он идет в кухню варить кофе, причем если позволяет погода, выходит с кружкой на балкон и смотрит на город. На сияющую Троицу где-то на горизонте, в легкой дымке, на парк с фонтанами рядом с домом, на людей, сидящих на скамейках, и на детишек, прыгающих под струями. Потом приходит Добродеев, приносит пиво и фирменные Митрича бутерброды с копченым мясом и маринованным огурчиком, от доброго старого Митрича, владельца их «отрядного» бара «Тутси». Как водится, вываливает последние городские новости.

Монах всякий раз надеется, что Леша принесет в клювике убойную криминальную историю, которая поставила в тупик всю полицию, и в частности, их друга-соперника майора Мельника. Который никогда не попросит о помощи математика, психолога и путешественника Монаха, но неназойливо подкинет Леше Добродееву какие-то детали и нюансы, исключительно с целью, как полагает Монах, привлечь его внимание и втянуть в расследование. Но при этом будет орать, что они путаются под ногами, лезут без спросу и вообще караул.

Причем это он еще и десятой доли не знает из того противоправного, что учиняют члены детективного «Союза толстых и красивых любителей пива» в погоне за истиной.

Так, за болтовней незаметно наступает вечер, и день, считай, пропал.

Монах дает себе честное слово завтра прямо с утречка засесть за работу.

«Но дни идут, идут года, — как сказал поэт, — им не сойтися никогда».

Что такое, в сущности, мемуары? Тут надо любить себя — в первую очередь хвастаться, выпячиваться, самопиариться... Чем больше понтов, тем интереснее.

То есть никакого творчества, а просто, что вспомнил, то и пиши, не забывая все время вставлять: «*я*», «*меня*», «*мне*», «*я, я, я*», чтобы всем было ясно, какой ты самый умный. Вранье приветствуется.

Леша считает, что вранье — соль и перчик, без которого любой текст пресен и скучен. Взять его творчество, например...

Он не то чтобы врет, но изрядно привирает. Хотя и врет тоже.

Да, так о чем мы? О том, что прямо с утречка... А с утра опять что-нибудь мешает.

Монах на балконе пил кофе и рассматривал городской пейзаж, когда в дверь позвонили.

Он неторопливо отправился в прихожую, прикидывая, кто пришел. Для Жорика поздно, он бросается разгребать проблемы и звать на помощь обычно утром, Леша приходит ближе к вечеру, а сейчас только пять после полудня.

Это был журналист. Он влетел в прихожую с выпученными глазами и с ходу закричал:

— Христофорыч, ты уже в курсе?

— В курсе чего? — сдержанно спросил Монах, отхлебывая кофе. — Что-то случилось?

— Что-то случилось? Ты вообще ничего не знаешь? Новости не смотрел?

— Наши новости я не смотрю, — с достоинством сказал Монах. — Всякие мелочи меня не интересуют. Я размышляю о жизни и смыслах. Ну?

— Два убийства! Целых два убийства! А у полиции ни в одном глазу! Ни мотива, ни подозреваемых.

— С майором говорил?

— Пытался, он не отвечает.

— Значит, еще барахтаются, думают разрулить самостоятельно. Или уже знают достаточно. Кто жертвы?

Добродеев смотрел загадочно и молчал.

— Ну? — повторил Монах. — Кто? Да говори же ты!

— Яник Ребров и его девушка Анфиса. Ты их знаешь, я познакомил вас на вернисаже, а потом мы были в гостях у Кирилла Юшкевича.

— Руководитель фонда? Похожий на жиголо? Убит? И Анфиса тоже? Как? — Монах присел на тумбу, забыв про кофе.

— Ее вчера, а его три дня назад, но нашли вчера.

— Как их убили?

— Анфису задушили. А у Яника перерезаны вены на руках, лежал в ванне, весь в крови. Соседка видела своими глазами. По городу уже пошли слухи, что самоубийство. Намекают, что он убил ее за измену, а потом порешил себя. Но по времени не пляшет, когда ее убили, он был уже мертв. Но народу лишь бы погорячее, и к черту детали.

— Деталей никто никогда не знает, — заметил Монах, — даже майор. Кто ж им расскажет.

…Они расположились за столом в кухне. Воодушевленный Добродеев трещал и не мог остановиться, Монах же был тих и задумчив.

Около семи вечера тренькнул добродеевский айфон. Тот прижал телефон к уху и стал слушать.

На лице его отразилось изумление, и он беззвучно ахнул, уставившись на Монаха. Тот взглядом спросил: что?

Добродеев, прокричав:

— Спасибо, буду должен, — положил телефон на стол.

— Ну? — подтолкнул Монах. — Кто это?

— Мой инсайд. Бомба, Христофорыч! Володю Речицкого сегодня арестовали по подозрению в убийстве! Это же... охренеть! Каков поворот сюжета! Невероятно!

— В убийстве кого?

— Как это кого... — начал было Добродеев, но запнулся.

— Кого, по их версии, он убил? Яника или его девушку? Или обоих?

— Я понял, что Яника... Он очень спешил, сообщил буквально на ходу.

— Но ты не уверен. Надо было уточнить. Твой инсайд — тот, который со стихами?

— Нет, тот вышел на пенсию. Этот краевед-любитель, мы с ним по пещерам.

— Перезвони!

Добродеев потянулся за телефоном. Набрал, прижал к уху.

— Не отвечает!

— Если Яник покончил с собой, то получается, Речицкий убил девушку, — сказал Монах. — Но не факт, и непонятен мотив. Он сказал, ее задушили, а Яник перерезал себе вены... самостоятельно или ему помогли. Ты говорил, они друзья?

— Друзья! Все знают. Вместе в школу ходили, Володя подкидывал ему на фонд.

— Думаешь, он мог? Ты его знаешь лучше. По-твоему, это самоубийство?

— Какое к черту самоубийство! — вскричал Добродеев. — Яник брал от жизни все! Вокруг него вертелись такие красотки... не передать. Он любил шикануть, одеться, смотаться в Испанию или в Таиланд, причем летал первым классом. Все время шутил... Шутки, между прочим, дурацкие. Как-то сказал, что у нас тренер из Японии набирает в борцы сумо, и он дал ему мои координаты. Я как последний дурак ждал звонка...

— Ты хотел в борцы сумо? — удивился Монах.

— Нет! Еще чего! Я хотел взять у него интервью, а он так и не позвонил. Расспрашивал всех, никто ничего. А потом оказалось, что Ребров пошутил, представляешь? Потом рассказывал всем, что я купился. Я с ним полгода не разговаривал, пока он не попросил прощения. А теперь его нет... — Добродеев пригорюнился. — Он был счастлив! Он нашел свою нишу, понимаешь? Совместил работу и хобби, не всем такое счастье. Я бывал у него в доме, перекидывались в картишки бывало. Это музей, Христофорыч! Картины, альбомы, бронза... шикарная библиотека. Коллекция фарфоровых статуэток, одна вообще восемнадцатого века. А мебель! Он умел жить.

— Может, заболел?

Добродеев пожал плечами.

— А ты веришь, что Речицкий убийца? Ты знаешь его много лет.

Добродеев снова пожал плечами, задумался, что было ему не свойственно, и сказал после паузы:

— С Володей никогда не знаешь. По характеру он бретер и дуэлянт, вспыхивает мгновенно, особенно когда выпьет. У него вечно приключения на пятую точку, еще с юности. Они с Яником учились в третьей школе, были неразлейвода. Яник — хитрован, был вроде ангела-хранителя, вытаскивал Речицкого... Вообще, в Янике всегда было что-то порочное, наглость... его не любили. Я учился во второй, между нами была вечная вражда. Молодые, безусые, дурные... — На лице Добродеева появилось растроганное выражение. — Гормоны, адреналин, драйв! Как мы дрались! Это... это поэма! Эпос!

— Ты тоже дрался? — спросил Монах.

— Ну... и я тоже, — сказал Добродеев, но как-то неубедительно, и Монах понял, что приятель соврал. — У Володи несколько приводов, его весь город знал. И вечные скандалы с женщинами, с замужними дамами, четыре раза женат... Другим и одного выше крыши хватает, а тут целых четыре! Ходили слухи, лет двадцать назад привлекался за поножовщину, сумел отмазаться. Пашка Рыдаев честно отработал свой гонорар. Я уверен, он и теперь его отмажет. Деньги страшная сила, Христофорыч.

— Если он виноват, — заметил Монах. — Может, и отмазывать не придется. Кроме того... — Он запнулся. — Кроме того, перерезать вены другу... как ты себе это представляешь, Лео? Морду побить — с его репутацией раз плюнуть, в это я готов поверить, а вот перерезать вены... — Монах с сомнением покачал головой. — Нет. Ты, например, смог бы перерезать мне вены?

— Христофорыч, о чем ты! Конечно, не смог бы.

— Вот видишь! Мне он, скорее, понравился, чем не понравился, — сказал Монах. — Открытый, такие не держат ножа за пазухой. Что видишь, то и получаешь. И пивко приличное. Никогда раньше не пил молодого пива, а тут попробовал. Еще мутное, не отстоявшееся, живое... Как он рассказывал о своей пивоварне! Знал процесс наизусть, каждую подробность. Но! Мухлевал, сукин сын. У него немец работал, пивовар, они на ножах были, тот, чуть не выдерживались технологии, орал: «Бурда!» Речицкий при мне послал его. Удивительно, что он продал завод.

— Между прочим, Яник его отговаривал. А он загорелся: лошадок хочу, хоть ты тресни! У него недавно сдохла какая-то очень дорогая кобыла, он ходил злой как черт. Потому и подрался с Артуром на вернисаже. Они друг друга ненавидят, Речицкий путался с его женой, когда выплыло, был страшный скандал, и она уехала из города. Потом вернулась, и они с Артуром помирились, но такое не забудешь. Тем более Речицкий все время на глазах и на языке. Артуру не везет с женщинами, второй брак, и снова неудачный. Они, конечно, помирились, но, сам понимаешь. Бывают ситуации, когда лучше разбежаться. Что делать будем, Христофорыч?

— В каком смысле? — спросил Монах лишь бы спросить.

Он собирался задать Добродееву тот же вопрос.

— В смысле убийства.

— Мало информации, да и та, что есть, спорная. Кто кого... непонятно. Надо бы разузнать побольше. Позвони еще раз майору, скажи, город на ушах, полно сплетен и слухов, надо бы успокоить общественность, дай хоть что-то для прессы. Скажи, что у тебя тоже есть, что сообщить. Главное, встретиться.

— У меня ничего нет!

— Как нет?! А воспоминания детства? Добавишь, так сказать, штрихи к портрету подозреваемого. Не важно. Главное, вытащить его на разговор. Где вы обычно встречаетесь?

— У памятника Пушкину, он выскакивает на шесть с половиной минут. — Добродеев хихикнул: — На шесть с половиной! Это его фишка. Пьет кофе три минуты сорок секунд, покупает продукты в супермаркете одиннадцать с половиной минут, считая с очередью на кассе, делает утром зарядку сорок одну минуту. И с чувством юмора туговато. По-твоему, у такого человека может быть чувство юмора?

— Я тут вспомнил, когда мы были в гостях у Лары с Кириллом, я слышал, как Яник с кем-то ссорился по телефону, — невпопад сказал Монах. — Увидел меня и замолчал. По-моему, ему угрожали, и он в ответ кричал, что размажет его... в смысле звонившего, по стенке. Вот об этом ты скажешь майору, Лео. Пусть выяснят, кто ему звонил. Мол, мы недавно были в гостях, и Монах что-то услышал, и это что-то может оказаться суперважным для следствия. В девять с минутами, не то пятнадцать, не то двадцать десятого. Подцепи его! И раскрути. Не мне тебя учить.

Добродеев кивнул.

Глава 18
Кажется, мы в игре!

Оптимист — это человек, настолько уверенный в успехе, что он ему становится просто не нужен.

Замечание Эссара

На другой день с утра Монах позвонил Анжелике Шумейко, супруге друга детства и делового партнера Жорика Шумейко.

Одно дело слухи и сплетни от Добродеева, другое — от Анжелики. И тот, и другая в курсе всего, что происходит в городе, но, так сказать, с разных ракурсов. И если информация Добродеева держится хоть в каких-то логических рамках, хотя это спорно, то информация Анжелики никаких рамок не придерживается вовсе.

Подобная размашистость подталкивает Монаха к интересным идеям, как ни странно.

Короче, позвонил он Анжелике и прямо спросил:

— Анжелика, девочка моя, что происходит в городе? Какие-то убийства? Ничего не понимаю!

Большего от него не требовалось.

Анжелика, пораженная его неведением, ахнула, и Монах приготовился слушать. Жорика бабские разговоры не интересует, ему бы про науку, технику и космос, а все остальное фигня.

Чувствовалось, что Анжелика радостно возбуждена, найдя слушателя.

— Когда ты жил с нами, ты все знал! — закричала Анжелика. — Я тебе все рассказывала! А теперь ты ничего не знаешь! Возвращайся, Олежка! Твой крестник все время спрашивает, когда придет дядя Олег с тортом, и девчонки тоже ждут, а тебя все нет, чем ты только занимаешься там один, совсем одичал, все время на диване и голодаешь, знаю я тебя!

— Анжелика, я приду, честное слово! Так что там по городу?

— Значит, так, слушай. — Анжелика сделала паузу, глубоко вдохнула и вдруг вскрикнула: — Ой! Звонят! Олежка, я сейчас, не уходи!

Монах слышал вдалеке громкие женские голоса и возгласы и терпеливо ожидал. Прошла минута, другая...

— Олежка! —Вопль Анжелики резанул по ушам. — Соседка пришла, надо бежать, не могу сейчас! Приходи вечером, все расскажу, ладно? Не сердись! Чмоки! Бегу! — И тишина.

Монах чертыхнулся.

Сидеть без информации в четырех стенах без всякой надежды получить последние новости, когда вокруг пригорает... Врагу не пожелаешь.

Монах включил местный ТВ-канал, но ничего оттуда не выудил; уселся за мемуары, но не сумел написать ни одной строчки; попытался настроить себя на мысли о смыслах, но плюнул, так как никакого смысла в происходящем не было. Равно как и в его жизни.

Добродеев, которому он позвонил, сказал, что майор Мельник в бегах, поговорить им не удалось.

— Пока ничего нового, город на ушах, слухи множатся, ситуация взрывоопасна и не налазит на голову. Никогда ничего подобного в нашем спокойном городе, а тут двойное убийство. Уже пошли слухи, что приедут спецы из центра, наши сами не справятся. Одним словом, как только что прояснится, сразу отзвонюсь!

Ситуация взрывоопасна... чем, интересно? Ну, Добродеев! Счастлив небось.

Монах сделал себе кофе, вышел с кружкой на балкон, но пейзаж не радовал, хотя ярко светило солнце, а небо было голубым.

Допив кофе, он улегся на диван, сложил руки на груди и закрыл глаза.

Подумал: «Интересно, что расскажет Анжелика? У нее полно подружек, и у каждой своя версия».

Он не заметил, как задремал. Ему даже приснился сон: он идет по воде навстречу яркому солнцу, жмурится и закрывает глаза рукой, а вокруг неземная музыка.

Он проснулся на закате, вялый и недовольный. Принял душ и принялся шарить в шкафу в поисках любимой джинсовой рубахи. Не нашел, плюнул и натянул необъятную черную футболку, белые боцманские штаны и, поколебавшись, китайские тапочки с драконами. Собрал волосы в пучок и расчесал бороду. Постоял перед зеркалом, рассматривая себя и корча рожи. Сделал строгое лицо и вышел из квартиры.

Спустя примерно час тяжело нагруженный торбами из «Магнолии» Монах позвонил в дверь своих друзей Шумейко.

— Кто там? — закричал звонкий детский голос.

— Олежка, это дядя Олег, открывай! — пробасил Монах. — Достанешь?

— Сейчас! Дядя Олег, я сейчас!

Дверь распахнулась, и к Монаху бросился его крестник, маленький Олежка. Обнял Монаха, прижался головой к его необъятному животу.

Выбежавшая Анжелика тоже обняла Монаха, а потом к ним присоединился подоспевший Жорик. И тоже обнял.

Они стояли, как живописная скульптурная группа, пока сплюснутый Монах не сказал:

— Отпустите, черти, задушите!

...Анжелика накрыла на стол. Выставила литровую бутылку виски, принесенную Монахом. Детишки, радостно визжа, разгребали торбу с конфетами. Жорик стал отчитываться о делах фабрики.

Монах, сгорая от нетерпения, слушал, не перебивая. И внимательно осматривал стол — в прошлый раз прямо в середине сидел толстый рыжий хомяк Шарик.

В семье держали двух котов, периодически щенка, улитку по имени Жорик в литровой банке, волнистого попугайчика Киру, во время ссоры заклевавшего собственного супруга, и хомяков.

Монах называл Киру «Черной вдовой».

Он смотрел на своих друзей — серьезного тощего Жорика с торчащим кадыком, на растрепанную Анжелику в символическом топе на бретельках, открывающем пышную грудь и мощные плечи — и думал, что они его семья и никого ближе у него нет.

Жорик докладывал обстоятельно и со вкусом, и Анжелика не выдержала:

— Да ладно тебе, про работу и про работу. Сколько можно, у нас гости в кои-то веки. За встречу!

Они выпили. Жорик крякнул. Анжелика сморщилась.

— Анжелика, что там по убийствам? — приступил к делу Монах.

— Каким еще убийствам? — спросил Жорик. — Анжелика, опять выдумываешь?

— Видал? — спросила Анжелика Монаха. — Из параллельного мира, ничего не знает! Пришелец. У нас в городе полно убийств, а он понятия не имеет. Из дому страшно выйти.

— А кого убили? — спросил Жорик.

— Якова Реброва, который устраивал конкурсы красоты. Его все знают! Шикарный мужчина, всегда в белом, от девчонок отбоя не было. Не женат, говорили, что интересуется мальчиками, но лично я не верю. И никто из наших не верит. Он встречался с Анфисой, восемь лет назад она была Мисс города. Ей все завидовали! Между прочим, я в молодости тоже прошла собеседование на Мисс города.

— И как, выиграла? — спросил Жорик, подмигнув Монаху.

Анжелика фыркнула.

— Жорик, не мешай, — призвал Монах. — Анжелика!

— Он лежал мертвый в ванне, полной крови. Зина дружит с его соседкой, та видела своими глазами. С порезанными венами. Она открыла дверь полиции, а то бы они взломали. Приехали с сиренами и мигалками, уже ломали дверь, а она вышла посмотреть. Ну, открыла, конечно, у нее был запасной ключ. Она кормила кошку и поливала цветы, он часто уезжал. Там его кошка кричала, он ее по телевизору однажды показывал, белая, здоровая, он говорил: «Моя подруга, ходит на задних лапах и спит со мной...»

— А почему к нему пришла полиция? — перебил Жорик.

— Господи! Да потому что Анфису тоже убили! Они уже год вместе, но жили отдельно. Она работала моделькой у Регины в Доме моделей, у меня есть журналы, потом покажу. Красотка! Разведена, муж хотел забрать дочку, она не давала, были скандалы, он ей угрожал. На самом деле она Анна, а Анфиса для красоты. Ее задушили!

— И ее тоже? — удивился Жорик. — Кто, уже знают?

— Знают! Ребров! Его дружок Речицкий закрутил с Анфисой, а Ребров узнал, они подрались, и он его убил! Перерезал ему вены.

— Перерезал вены? Речицкий Реброву? А кто Анфису?

— Да Ребров же! Приревновал и убил! Все уже знают!

— А что с Речицким?

— Его арестовали, и он уже признался. Он хотел покончить с собой, из петли вытащили. Говорит, виноват в смерти друга, готов нести полную ответственность. Виноват, влюбился в женщину друга, ничего не мог с собой поделать. Пришел поговорить с Ребровым, а тот накинулся на него с ножом! Ну, он его и... — Анжелика цыкнула зубом. — Он защищался. Лично мне он не нравится, все время дерется и женится. Уже четыре раза. А детей нет, потому что импотент и пьет как лошадь. Кстати, он продал пивзавод и купил лошадей. В Сидневе. А пивзавод купил один крутой, из столицы. Говорят, пиво стало хуже. Жорик, какое сейчас пиво?

Жорик пожал плечами:

— Вроде нормальное.

Монах получал громадное удовольствие, наблюдая за супружеским дуэтом. Разгоряченная Анжелика и полный скепсиса Жорик, конь и трепетная лань! Они дали бы форы любому театру комедии.

— Анжелика, кто сказал, что Ребров набросился на Речицкого с ножом? — спросил Монах. — Откуда информация?

— Как откуда? Все говорят! Он накинулся, а Речицкий нож отобрал и его же ножом перерезал ему вены. Это нож Реброва! А какие друзья были! Ребров ему свадьбы устраивал с фейерверками в «Английском клубе». По двести гостей! Девочек подсовывал...

— До свадьбы или после? — спросил Жорик.

— Какая разница! — воскликнула Анжелика. — Главное, что убил! Своего друга! Что значит любовь. А ты бы смог?

— В смысле? Если бы Олежка, к примеру, тебя соблазнил? Убить? — Жорик загоготал. — Надо подумать. Если у вас настоящая любовь... А как детей делить будем?

— Балабол!

— Давайте за любовь, — предложил Жорик.

Они выпили.

— А с кем ты был в парке? — спросила вдруг Анжелика. — В кафешке?

— Наш Олежка в парке? — ухмыльнулся Жорик. — С женщиной? Тайное свидание?

— Случайная знакомая, — скромно сказал Монах. — Откуда ты знаешь?

— Тебя моя подруга Верочка видела, позвонила, спрашивает, а ты знаешь, что у вашего друга свидание в парке! Наверное, она замужем, потому что дождь и пусто, чтобы никто не увидел.

— А она что делала в парке? — спросил Жорик.

— Гуляла с Кайзером. Это ее собака. Ты, Олежка, страшно скрытный, слова из тебя не вытащишь. Помню ту, с золотыми рыбками, тоже сочинял, что ничего такого, а как переживал, я же видела!

— Точно! Так переживал, что свалил куда подальше, — сказал Жорик. — В белой шляпе.

— А где она, кстати? — спросил Монах.

— Шляпа? Валяется где-то на антресолях.

— Жорик, ты совсем уже? Он про нее спрашивает... как ее звали?

— Кира, — сказал Монах. — Ее звали Кира. Где она сейчас?

— Она работала у нас в бухгалтерии, — сказал Жорик. — Потом вышла замуж и уволилась. А ты, Олежка, сам знаешь кто. Такая женщина! Она о тебе несколько раз спрашивала, все надеялась, бедная. Хочешь, узнаю, может, они развелись?

Монах ухмыльнулся невольно и взглянул на Анжелику. У той руки чесались пристроить его в дело и обженить с одной из подружек, которых у нее полгорода. Его даже раза три приглашали на смотрины, а потом ему приходилось провожать барышню домой и выслушивать пустопорожний щебет. И отбиваться от телефонных звонков, как Анжеликиных, так и ее протеже.

Воображение Монаха трудно задеть, и уж конечно, не щебетом. В Леше Добродееве, например, сидит любопытный подросток, который тянет руки и хочет потрогать, все, что похоже на женщину.

А Монах не таков. Как-то ему попалась фраза, *вроде бы*, принадлежащая Коко Шанель, о том, что чувство юмора в женщине предпочтительнее, чем дорогая сумочка. Это могло бы стать его девизом...

В смысле если женщина ему интересна, он не замечает, как она одета. Сомнительно, конечно, всем известно, что одежда делает женщину, но так ему кажется. Наше восприятие себя зачастую несколько идеалистично. В белых одеждах, на белом коне, без страха и упрека и без лишнего веса...

— У вас серьезно? — вернула его на землю Анжелика.

Не успел Монах ответить, как трепыхнулся его айфон. Это был Добродеев.

— Христофорыч, ты где? — закричал он без долгих предисловий.

— У Жорика. А что?

— Ты там надолго? У нас дело!

— Ну, как получится... — Монах покосился на Анжелику, у которой от любопытства зашевелились уши. — А что?

— Пашка Рыдаев хочет встретиться с тобой, если можно, сегодня.

— Что ему надо?

— Черт его знает! Сможешь? Давай прощайся, мы ждем у Митрича в девять.

— Что? — выдохнула Анжелика, когда Монах отложил телефон.

— Адвокат Речицкого хочет поговорить со мной...

Анжелика ахнула:

— А я знала! Они без тебя шагу ступить не могут! Ты ешь давай. Пока не съешь, не пущу! Когда?

Монах посмотрел на часы:

— Через час.

— На посошок! — Жорик разлил виски. — Удачи!

Они выпили, и Монах поднялся, на ходу доедая котлету...

Глава 19
Клуб толстых и красивых и мэтр Рыдаев

Находишь всегда то, что не искал.

Закон Мэрианна

Переступив порог бара «Тутси», Монах сразу же заметил сидящих в углу Добродеева и незнакомца.

Он кивнул Митричу за стойкой бара, напоминавшему большую неторопливую рыбу на фоне подсвеченных красочных бутылок.

Сгорающий от любопытства Митрич помахал ему рукой. Монах прошествовал в угол к Добродееву и незнакомому мужчине.

Тот поднялся и протянул Монаху руку.

— Павел Рыдаев. Рад, много о вас слышал. Спасибо, что согласились на встречу.

Был это небольшой смуглый человек пижонистого вида, прекрасно одетый, в светлом костюме с шейным платочком в крапинку и с жидким хвостиком седых волос, перетянутых кожаным шнурком, что придавало ему вид несколько богемный, молодежный и удивительно компанейский, что не вязалось с внимательным и оценивающим взглядом темных глаз.

Монах в свою очередь представился.

Они пожали друг другу руки.

Добродеев переводил взгляд с одного на другого, умирая от нетерпения.

Монах сел. Добродеев кивнул Митричу, и тот поспешил к ним с дребезжащей тележкой, нагруженной фирмовыми бутербродами и бокалами с пивом.

— Может, покрепче? — запоздало спросил Добродеев.

— Люблю пиво, — сказал Рыдаев. — То, что нужно. И знаменитые бутерброды с маринованным огурчиком! А как же, наслышаны.

Рыдаев улыбался, светил безупречными белыми зубами, говорил приятные вещи, и было видно, что он везде чувствует себя легко и непринужденно. Он хотел понравиться Монаху, а тот терялся в догадках, что ему нужно.

Они пили пиво. Добродеев от нетерпения ерзал на стуле и даже не стал есть бутерброд, что было совершенно на него не похоже.

— Вы, наверное, хотите спросить, что мне нужно, — начал мэтр. — Сейчас объясню.

Монах и Добродеев переглянулись.

— Я, как вы уже догадались, представляю интересы Володи Речицкого. Он был задержан вчера по подозрению...

— В убийстве! — выскочил Добродеев. — А мотив?

146

— В убийстве кого? — спросил Монах. — В городе два убийства.

— Ребров покончил с собой... скорее всего. Следствие еще не закончено, но пока не выявлено ничего, что говорило бы об обратном. На время убийства Анны Трепаковой, его подруги, у Речицкого алиби, он сидел у себя в конюшне, чему есть свидетели. Мотивы убийства и самоубийства пока неизвестны. Пока! — с нажимом повторил Рыдаев.

— А тогда... — начал было Добродеев, но адвокат перебил:

— Вы себя спрашиваете, зачем мы собрались и что мне нужно. Мой подзащитный и, можно сказать, добрый друг Володя Речицкий настоял на моей встрече с господином Монаховым, о котором он очень высокого мнения. Он рассказал, что пару лет назад вы обращались к нему за информацией, расследуя дело об убийствах девушек по вызову, в чем весьма преуспели.

— Было, — сказал Монах. — Он еще угостил меня живым пивом, до сих пор помню.

— А что сейчас? — встрял недоумевающий Добродеев. — Он хочет, чтобы Христофорыч занялся самоубийством Реброва? Не верит, что его друг покончил с собой? Или убийством Анфисы... Анны?

— Нет, — сказал после паузы Рыдаев. — Дело не в этом.

Монах и Добродеев снова переглянулись.

Мэтр Рыдаев был спецом по риторическим приемам, он красиво тянул паузу, интригуя и возбуждая нетерпение аудитории. Монах начинал понимать, что такой дар стоит хороших денег. А если прибавить сюда изворотливость, нахрап, талант передергивать, то очень хороших.

— То, что я скажу, носит сугубо конфиденциальный характер и дальше нашего собрания пойти не должно. Если честно, я не понимаю, чем может помочь господин Монахов. Но таково желание моего клиента и друга. Его задержали по очень слабому и нечетко сформулированному обвинению в возможном убийстве, имевшем место восемь лет назад. На всякий случай, как я понимаю. Через пару дней я его вытащу, можете не сомневаться. На его месте я бы даже не стал ворошить ту историю, так как доказать ничего нельзя, но желание клиента — для меня закон. Хотя, принимая во внимание прежние заслуги, так сказать, Речицкого перед законом, допускаю, что основания для открытия следствия по этому делу имеются. Другими словами, попортят нервы и отпустят. Это я вам могу гарантировать. Но! Существует возможность, хоть и минимальная, что прилетит черный лебедь и... тогда черт его знает, чего можно ожидать. И репутация! Знаете, как говорят, не то он галоши украл, не то у него. Речицкий сложный человек, но до сих пор в убийстве его никто не обвинял. Драки, хулиганские выходки, поножовщина... Да, да, было и такое. Но не убийство! Допустим, дело закроют... Да его-то и не открывали на самом деле! Лично я не стал бы копать — пережито, забыто, ничего доказать невозможно. Но Речицкий хочет знать, что случилось. Полицию он, разумеется, просить не будет, а вот господина Монахова... Кстати, я сподобился увидеть ваш сайт. Впечатляет, честное слово. И философ, и психолог, и математик... Володя очень высокого мнения о вас и хочет, чтобы вы покопались в этой истории.

«В какой истории? — было написано на физиономии Добродеева. — Да не тяни ты резину, говори по-человечески! Ты не в суде!»

Монах загадочно молчал, пропуская бороду через пятерню.

— Восемь лет назад Володя встретил женщину, она пригласила его к себе... Случайная встреча, он даже имени ее не помнит. Детали он расскажет сам. Короче говоря, он провел у нее ночь, а когда проснулся утром, она была мертва. Зарезана ножом.

Добродеев выпучил глаза и беззвучно ахнул.

— Он утверждает, что ничего не помнит. Он ушел оттуда, и восемь лет все было тихо.

— Почему вдруг выплыла эта история? — спросил Монах.

— А вот тут начинается самое интересное, господа. В руках следствия оказалась запись, сделанная, видимо, скрытой камерой, установленной в спальне той женщины. Кем-то с какой-то целью. В кого метили, можно только догадываться. Необязательно в моего клиента. Это вкратце вся история. Как на ладони.

— Откуда у них запись?

— Они не говорят. Этим занимается майор Мельник, личность крайне неприятная и несговорчивая. — Бог весть, что имел в виду адвокат, называя майора Мельника несговорчивым... — Речицкому прокрутили запись и... Можете представить себе, что он почувствовал? С ним беседовали в связи с самоубийством Реброва, расспрашивали о его подруге, и тут вдруг нате вам! Полюбуйтесь, подозреваемый! И постарайтесь объяснить, как это понимать.

Володя, конечно, объяснять не стал и обратился ко мне. Дело об убийстве Трепаковой резонансное, она была популярной фигурой, Мисс города в прошлом, лицо с обложки. Им нужно хоть что-то, хоть самую маленькую зацепку, а тут целая запись на ту же тему.

— Вы ее видели? — спросил Монах.

— Нет. Хотя, я потребовал. Но я своего добьюсь и посмотрю самолично. Не все сразу. Володя хочет поговорить с вами, господин Монахов. Я могу устроить свидание, если вы согласитесь. У меня есть такая возможность. Завтра все решится.

— Чего же он хочет?

Рыдаев пожал плечами:

— Истины, наверное. Хотя, если хотите знать мое мнение, я против. Пусть прошлое хоронит своих мертвецов, как говорят бритты. Ничего предъявить ему они все равно не смогут. Никто не докажет, что запись реальная, а не монтаж.

— Но они, должно быть, знают, чья она, — заметил Монах.

— Они-то знают, но все равно ничего не докажут. Так вы согласны, господин Монахов?

Они смотрели друг другу в глаза. Монах все пропускал через пальцы бороду. Молчал.

— Не отказывайтесь, Олег, подумайте. Володя очень на вас рассчитывает. Возможно, вы не очень хорошо его знаете, но Леша с ним дружит и может подтвердить, что это энергичный, сильный человек, оптимист, авантюрист в хорошем смысле слова, не боящийся ни грома, ни тучи, как говорила моя бабка. Такие мыли золото на Юконе, были мореходами, первопроходцами и открывали новые земли. Разумеется, есть издержки, такому характеру свойствен размах, в обычных рамках ему тесно. Я имею в виду пьянство, драки, вечные истории с женщинами, скандалы и необдуманные решения, как, например, решения продать пивоварню и купить конный завод. Я был категорически против и оказался прав.

Монах все молчал, переваривая предложение. Молчал и Добродеев, что было удивительно, так как Леша не умел молчать в принципе.

Паузу прервала чеканная мелодия кумпарситы.

Рыдаев достал из кармана телефон и стал слушать. Спрятал телефон, поднялся и сказал:

— Боюсь, мне пора, господа. Рад был познакомиться с вами, Олег. Вот моя визитка. Буду ждать звонка. В любом случае. Спасибо, что согласились на встречу, господа. Я ваш должник.

Он протянул руку поочередно Монаху и Добродееву. Они смотрели, как он, печатая шаг, пересекал пространство бара. Собранный, подвижный, стремительный. Секунда, другая, и мэтр Рыдаев исчез.

И снова Монах и Добродеев посмотрели друг на друга.

— Что это было, Христофорыч? — вопросил Добродеев. — Еще одно убийство? Два убийства? Еще одна женщина? Ну, Володька! Нарвался, что называется.

— Возможно, три.

— Чего три?

— Три убийства, Лео.

— В смысле?

— Откуда запись, как, по-твоему?

— И откуда же? — повторил Добродеев, с недоумением приглядываясь к Монаху.

— Подумай, Лео, и скажи, откуда запись! — раздельно произнес Монах.

— Ты хочешь сказать, что... — Добродеев запнулся. — Что ты хочешь сказать? И почему три убийства?

— Любое событие обусловлено чем-то и проистекает из чего-то, ничего не случается просто так. Связей между событиями нет по одной-единственной причине: мы

151

ее не видим. Смотрим, но не видим. Разучились думать. Или не умели. Или нет времени.

— О чем ты, Христофорыч?

— О том, что запись попала в руки нашего майора в результате обыска у Реброва. В свете этой находки самоубийство последнего под вопросом, так как это улика, весомый мотив для устранения затейника.

— Почему ты думаешь, что в результате обыска?

— Лео, тут прямая связь. Восемь лет запись где-то хранилась, а после смерти Реброва вдруг появилась на свет. Не бином, как говорит Жорик. Для Речицкого это вдвойне чревато — он становится подозреваемым в смерти Реброва и неизвестной женщины. Ставки растут. На момент смерти Анфисы у него алиби, хотя, допускаю, к нему сейчас очень внимательно присмотрятся. Всякие есть алиби, как тебе известно. Мэтр Рыдаев тот еще жук! Он прекрасно все понимает и цепляется за соломинку, пытаясь доказать, что запись ничего не стоит, а потому не может рассматриваться в качестве мотива.

— Ну да, он же против вашей встречи...

— Против? — Монах ухмыльнулся. — Как бы не так! Он блефует, Лео. Он не против, это только слова. Ему нужно подцепить меня... нас, на крючок. Мы не полиция, все наши находки останутся при нас, никто, кроме него, о них не узнает.

— А на что он рассчитывает?

— Допускаю, он и сам точно не знает — действует наугад. Он ничего не пропускает и хочет знать, что произошло восемь лет назад.

— Но Речицкий ему все рассказал!

— Видимо, не все. Или мэтра не удовлетворил его рассказ, и он не хочет сюрпризов. Допускаю, что Речицкий и сам не знает, что тогда произошло. Был пьян или, чего похуже, не помнит, был в ступоре... мало ли. А мэтру надо знать наверняка, так как он понимает... или нет, скажем, предполагает, что следствие начнет копать. — Монах поднял указательный палец: *Может начать копать*. И тогда что? — Он поднял бровь, подталкивая Добродеева к ответу, но, не дождавшись, сказал: — А то, что в этом случае он хочет заполучить информацию первым, чтобы знать, как выстраивать защиту. Он прекрасный оратор, так и обволакивает словами. Я уверен, выступая в суде, он и цитатами на латыни сыплет, и стихи читает. Он действительно ничего не упускает. Профи. Снимаю шляпу. Много слышал, но не предполагал такой... глубины.

— Подожди, Христофорыч, если запись нашли у Реброва, то это значит, что он записал своего друга? Зачем? Шантаж?

— Не факт. Речицкий мог попасть в ту квартиру или... что там, гостиница?

— Рыдаев сказал, она привела его к себе, — заметил Добродеев.

— Значит, квартира. Речицкий мог попасть туда случайно, капкан был приготовлен не для него. Неудачное стечение обстоятельств.

— А для кого?

— Хороший вопрос, Лео. Ребров все время находился в окружении молоденьких глупеньких барышень, которые готовы продать душу дьяволу за участие в конкурсе. Ну и...

— Ты думаешь, он был сутенером?

— Да. Именно так я и думаю. Он и выглядел как сутенер, мне это сразу бросилось в глаза. Сутенер и жиголо. Занятие оставляет отпечаток, Лео, — выражение лица, оценивающий взгляд, жесты, манеры... Все! Даже перстни на трех пальцах. Он подсовывал девушек денежным тузам и делал записи. Опять-таки не бином Ньютона. А потом стриг попавшихся баранов.

Они помолчали немного, и Добродеев спросил:

— Так ты встретишься с Речицким?

— Даже не сомневайся, Лео. На наших глазах разворачивается потрясающе интересная история, грех пропустить. А потом мы сядем и подумаем, что делать дальше. Согласен?

Добродеев кивнул.

К ним подъехал с тележкой озабоченный Митрич, измаявшийся от любопытства в своем аквариуме.

— Я тут вам свеженького подвез, — сказал. — А чего это Паша убежал? Не сговорились?

— Сговорились, Митрич. Все пучком, — сказал Монах. — Выпьешь с нами? За успех!

— Я очень в вас верю, ребята, — сказал Митрич. — Володя Речицкий не убийца, он просто немного несдержанный, он у меня тут однажды подрался с одним типом, который пристал к певице. Он один бросился ее защищать! Остальные только глаза отводили. Он у меня в фотогалерее висит, со второй женой и нашим голкипером. Прекрасная фотография!

Прекрасная фотография! У Митрича их десятки по стенам. Есть у него маленькая слабость, он любит имена. Все мало-мальски известные личности, приезжие и местные, висят в его галерее с автографами и датами. В смысле, фотки. На многих — сияющий Митрич в обнимку с гостем. Среди экспонатов фотографии Монаха, Добродеева и Митрича с бокалами в руках.

— Яник был его другом, он не мог его... И девушку его не мог, он бы не стал бить женщину, а тем более — убивать. Моя мамочка говорит, это Яник мутил со своими «мисками», вот и получил. — Митрич оглянулся и понизил голос: — Говорят, он подсуживал за деньги! Подкупал жюри, он ими вертит как хочет. Вертéл...

— Твоя мамочка — мудрая женщина, — похвалил Монах. — Что еще она говорит?

— Что Речицкий никого не убивал! Я тоже так думаю. А Паша Рыдаев чего от вас хочет? Следствие опять зависло?

— Вроде того. Твое здоровье, Митрич! Что бы мы без тебя делали?

— Да ладно вам, ребята, — смутился Митрич, и они выпили...

Глава 20
Одна сатана

Мы живем, точно в сне неразгаданном,
На одной из удобных планет...
Много есть, чего вовсе не надо нам,
А того, что нам хочется, нет...

Игорь Северянин «Странно...»

Кирилл распахнул дверь и с порога закричал:

— Ларка, ты дома? Новости смотрела? В курсе, что творится?

В доме стояла тишина.

Он влетел в гостиную. Лара спала на диване, укрывшись пледом. На журнальном столике лежала обложкой кверху книга.

Кирилл присел рядом, потряс жену за плечо:

— Ларка, ты чего спать вздумала? А что ночью делать будешь?

Лара открыла глаза, села, сбросив плед. Сказала виновато:

— Дождь, и по телевизору ничего...

— Пока ты спишь, в городе черт знает что делается! Вчера была убита Анфиса, девушка Яника, та яркая нахальная блондинка. Помнишь их? Яник — тот прилизанный в белом костюме. Приятель Речицкого. В тот же день обнаружили его самого, покончил жизнь самоубийством, вскрыл себе вены. Речицкий арестован по подозрению в убийстве этой барышни. Моя секретарша говорит, у них был роман, а Яник узнал. Прямо шекспировские страсти, кто бы подумал! В таком ничтожном городишке... Если Речицкого посадят, конюшню выставят на продажу, может, подсуетиться? — Он рассмеялся. — Сейчас и пивзавод пошел бы... э-э-э... за копейки. Хочешь, купим лошадей? Ты же их любишь! Правда, говорят, они у него стали дохнуть. — Он снова рассмеялся. — Он из тех, у кого все сквозь пальцы... Ничтожество! Помню, как он на тебя смотрел... скотина! Такие, как он, добром не кончают... Еще неизвестно, что там за самоубийство, может, это он дружка приговорил. Надо же, женщину не поделили!

Лара молча смотрела на мужа. Был Кирилл возбужден, говорил быстро и бессвязно.

Лара поняла, что муж выпил.

— Подожди, кто вскрыл вены? Яник, ты сказал? Директор фонда? — Приоткрыв рот, она напряженно вглядывалась в лицо мужа.

— Эй, просыпайся, спящая царевна! — Кирилл взъерошил ей волосы. — Яник, Яник... Я же говорю: Я-ник! Анфиса — красотка, жаль. Непонятно, почему он ее убил!

— Кто убил? — невпопад спросила Лара.

— Ларка, ты меня совсем не слушаешь! Речицкий! У них, по слухам, был роман, и он ее...

— Почему? Может, это Яник?

— А за что тогда арестовали Речицкого? За убийство! Кого бы он ни убил, черт с ним! Мне этот городишко не нравится, провинция, дешевый снобизм... Ну ничего, мы тут ненадолго, я думаю. — Он притянул к себе Лару. — Я голодный как собака. Пошли ужинать. Накрывай на стол. Я приму душ.

Лара накрывала на стол в кухне. Достала из холодильника мясо и сыр, овощи. Принялась резать салат.

Лицо ее было сосредоточенно, движения скованны; она полоснула ножом по пальцу и вскрикнула. Сунула палец в рот. На глаза навернулись слезы. Она промокнула их салфеткой, но слезы все катились.

Она закрыла лицо руками и всхлипнула. По руке ее стекала струйка крови, капала на синий топик на бретельках.

Она услышала, как хлопнула дверь ванной, и поспешно вытерла слезы. Увидела кровь и застыла испуганно, не понимая, откуда она взялась. О порезанном пальце она забыла. Распахнула холодильник, поспешно вытащила луковицу и стала резать в салат.

— Я терпеть не могу лук! — недовольно произнес появившийся на пороге Кирилл. — Ты же знаешь! Вонь на всю квартиру.

— Извини! — Лара швырнула луковицу в пластиковый пакет для мусора. — Не подумала. Садись, сейчас. Достань вино! Я соскучилась, все время одна и одна... И этот дождь! Надоело.

— Это что, кровь? — воскликнул Кирилл. — Что случилось?

— Порезалась. Уже все нормально. — Она одернула топ. — Не заметно! Хочешь, я переоденусь?

— Потом. Что пьем?

— Шампанское! — воскликнула Лара. — Устроим себе праздник. Я редко тебя вижу в последнее время, ты приходишь усталый, ничего мне не рассказываешь... — Она достала бокалы: — Открывай! Пробку в потолок!

Кирилл рассмеялся и стал сдирать фольгу. Расшатал пробку, направил в стену над дверью и скомандовал:

— Пли!

Пробка со стуком влепила в стену. Лара вскрикнула и подставила бокал. Вино рвануло через край. Она выпила залпом, поставила бокал на стол и расхохоталась, чувствуя, что еще минута — и она разрыдается.

— Вот такой ты мне нравишься! — Кирилл отпил из своего бокала: — Слишком сладкое!

Он притянул Лару к себе, впился губами в ее рот. Его руки шарили по ее телу — Лара чувствовала его нетерпение. С силой прижалась к мужу и горячо ответила на поцелуй. Словно мстила себе...

...Кирилл давно спал, похрапывая. Лара лежала без сна.

Потолок и стены, слабо видимые в полумраке, слегка покачивались.

Она была пьяна; слезы катились у нее из глаз и холодили виски. Старалась не всхлипывать, чтобы не разбудить мужа. Она вряд ли сумела бы объяснить, почему плачет. Ей казалось, что где-то там, в конце туннеля, забрезжил огонек, что перемены уже в пути и что все теперь будет по-другому. Она чувствовала внутри звенящую пустоту. Закрывала глаза, и ей казалось, что она плывет по волнам на лодке, лодка покачивается, над головой черное ночное небо и звезды. На востоке слабое розовое свечение, там рассвет. Рассвет — это надежда, а волны — неизвестность.

Она вдруг подумала о том, что давно не была в магазинах, не было настроения, и что скорей бы закончился надоедливый осенний дождь, и тогда можно будет пробежаться по лавкам. И пойти в парк! Обязательно заглянуть в павильончик с кофе и мороженым, где сидит бородатый экстрасенс в черной футболке и в белых штанах с бумажным стаканчиком в руке.

Он смотрит, как она входит; его губы шевелятся, он оглаживает бороду, щурится, приветливо машет — иди, сюда, мол. И ее охватывает предчувствие радости! Она делает шаг, другой, пол покачивается под ее ногами, женщина за стойкой спрашивает: что вам, кофе или мороженое, и улыбается. Они смотрят друг на дружку, глаза в глаза, он протягивает руку, она тянет свою...

И тут картинка начинает бледнеть, терять краски, расползаться и таять. Лара погружается в сон, а за окном уже сереют легкие утренние сумерки.

Уже под утро ей приснился сон: она в окровавленной одежде лежит на полу, чувствуя, как из раны в груди выливается толчками горячая кровь, а ей почему-то не страшно, наоборот, радостно; яркая лампа светит в глаза, и она щурится; кто-то повторяет монотонно, как диктор с новостями, — конец пути, конец пути, конец пути...

Проснувшись, она лежала, не шевелясь, вспоминая сон.

Что это было? Она лежала в крови... Ее убили? Но присутствовало чувство светлой радости... Конец? Свобода? Смерть? А что, собственно, ей снилось? Ощущение крови, вытекающей толчками, размывалось, пока не исчезло, еще секунда-другая, и от сна не осталось ничего.

Кажется, была кровь. Кажется, был яркий свет. Кажется, было чувство облегчения. Все.

Кирилл появился на пороге спальни, и она вздрогнула.

— Проснулась? Не хотел будить, ты так красиво спала. Я убегаю. Позавтракаю на работе. До вечера, не скучай.

Она улыбнулась и почувствовала, что возвращается в реальность. Пришло чувство облегчения от того, что можно долго пить кофе и смотреть в окно. В одиночестве. Не поддерживая пустопорожнего разговора, не расспрашивая с преувеличенным интересом...

Притворство. Вот! Не нужно притворяться. Страшная вещь притворство. Человек привыкает играть роль, сначала он противен себе, потом привыкает. В нем некоторое время живут два человека, а потом остается один, тот, который притворяется...

Дождь наконец перестал. Задул легкий ветерок, и выглянуло солнце.

Лара сидела перед зеркалом, внимательно себя рассматривая. Заметила седой волос на виске, выдернула пинцетом. Подумала, что неплохо бы изменить цвет волос на более темный, каштановый. Глаза станут ярче, и подобрать другую помаду, клюкву... была у нее когда-то. Не помада, а тень, легкая, прозрачная, с оттенком клюквы. Она так и называлась — «Кренберри», какая-то американская компания...

Потом она долго пила кофе, ни о чем не думая. Мыслей не было, но перед глазами все время вертелась картинка: парк, павильон, большой мужчина с бородой, а в руке у него стаканчик с кофе. Картинка вызывала улыбку и предчувствие радости.

Она достала белые джинсы и черную футболку, свернула в узел волосы. Замерла, вдруг вспомнив, что Олег Монахов тоже был в белых штанах и черной футболке. Вспыхнула и рассмеялась невольно...

В парке были люди — группа туристов, молодые мамы с колясками, и она вдруг пожалела о том, что не идет дождь. Тогда во всем парке было только их двое.

В павильоне, куда она заглянула в смутной надежде увидеть его, в чем ни за что не призналась бы, тоже были люди. Пожилая пара сидела за их столиком в углу. Лара купила кофе и побрела по аллее к террасе, откуда видны река и пляжи. Потом к Спасскому собору, затем в липовую аллею, после посидела на скамейке, рассматривая далекую Троицу. И все время подспудно ожидала, что вдруг вдалеке появится внушительная фигура Олега Монахова. Вот сейчас он появится в конце аллеи, подойдет, сядет рядом...

Чувство было настолько реальным, что она все время смотрела в ту сторону. Но он так и не пришел.

Разочарованная Лара вышла из парка и свернула к старинному зданию с кариатидами, где располагалась художественная галерея Артура Ондрика. Ей хотелось еще раз взглянуть на «Голубую женщину» Марка Риттера... как ее? «Любовь и вечность»! Кирилл хочет ее купить, говорит, в доме должны быть произведения искусства, желательно подлинники. Артур не соглашается. Но Кирилл уверен, что дожмет его. В крайнем случае, купит пейзаж с рекой и лугом, хотя женщина интереснее.

Ларе непонятно, зачем Артуру продавать картину, которой он так гордится. Но Кирилл сказал, что тот набивает цену.

«Запомни, принцесса, — сказал Кирилл, — в этом мире все покупается и продается, все вопрос цены».

Он иногда называет ее принцессой, и она внутренне ежится, чувствуя, что не соответствует. Но притворяется, испытывая при этом чувство вины.

Фальшивка. Фальшивая монета. Блестящая, красивая, сверкающая и, увы, фальшивая.

Галерея была открыта. Она поднялась на второй этаж по широкой мраморной лестнице, вошла в зал.

Зал был пуст. Здесь не было никого, кроме пожилой дамы-смотрительницы, одетой весьма странно — в белый жакет, расшитый хвостиками не то норок, не то каких-то других мелких грызунов; длинные голубовато-седые локоны обрамляли ее крупное, сильно накрашенное лицо.

Лара поздоровалась, дама величественно кивнула.

«Еще одна голубая женщина», — подумала Лара.

Она подошла к картине Марка Риттера. Остановилась на расстоянии, рассматривая.

Небесная голубизна, оранжевые круги и слабо просвечивающий в глубине силуэт угловато-гитарообразной женской фигуры.

Картина ей не нравилась. Не цепляла. Ни тепла, ни чувства. Пейзаж гораздо интереснее. В нем была радость. Солнце, река и луг. Художник сидел в тени дерева на раскладном стульчике, смотрел на луг и реку и переносил на холст. А женщину... вымучивал из подсознания. Именно, вымучивал.

Лара улыбнулась.

— Любуетесь картинами? — Приятный мужской голос.

Она вздрогнула и резко повернулась. Артур смотрел на нее с улыбкой.

Лара почувствовала, как вспыхнули скулы.

— Добрый день, Лара. Рад снова вас увидеть. Правильное решение прийти к нам, когда здесь пусто. Картины нужно смотреть в тишине и без толпы, согласны?

Лара кивнула.

— Вот вы и скажите мне, насколько отличается ваше восприятие картины тогда и сейчас.

— Мне нравятся река и луг, — сказала Лара. — Может, потому, что закончился дождь. А «Голубая женщина» слишком... — Она замялась, подбирая слово и уже ругая себя за то, что собиралась сказать. — Слишком холодная.

— Верно! — Артур улыбнулся. — Скажу по секрету, я купил ее, чтобы выгодно продать. Знаете, сколько нуворишей бросаются на рекламу? Это такая приманка для людей, далеких от искусства! Вы бы ее ни за что не купили, правда?

Лара улыбнулась, вспомнив, что Кирилл нацелился именно на «Голубую женщину», и промолчала. Странно, что Артур так откровенен.

— Хотите кофе? Пойдемте! Я купил итальянское печенье, Лидия Гавриловна его очень любит. Она у нас дама переборчивая. Между прочим, художник-урбанист. У меня есть пара ее полотен — Венеция и наш город.

Лара поняла, что Лидией Гавриловной зовут даму-смотрительницу с голубыми локонами.

Артур привел ее в крошечную комнату с кофейной машиной. Достал из стенного шкафчика чашки и вазочку с печеньем. Лара опустилась на пластиковый стульчик у консольного столика.

Ей было не по себе, она отвыкла от людей, подумала, что ведет себя как деревенская барышня.

Артур поместился рядом. Взял ее руку.

— У вас красивое кольцо, Лара. Платина и сапфир, прекрасный дизайн, благородная простота. Подарок мужа? На свадьбу?

— Да. — Больше всего ей хотелось выдернуть руку, но она не решилась, побоялась обидеть его.

— У вашего мужа прекрасный вкус.

Он с улыбкой рассматривал ее, и было непонятно, к чему относилось замечание о вкусе. Или к кому. Хотя, какое там непонятно!

Лара вспыхнула. Артур смущал ее, его взгляд становился назойливым. Ей показалось, он собирается поцеловать ей руку, и она ее отняла.

Они в молчании пили кофе.

— Не жалеете, что переехали в наш город? — вдруг спросил Артур.

— Мне ваш город нравится, — сказала Лара.

— У нас тут неспокойно в последнее время. Это нелепое самоубийство, убийство... И самое ужасное, что мы прекрасно знаем этих людей! Еще накануне собирались здесь и у вас дома, смеялись, шутили, а судьба, как говорится, уже занесла над ними свой карающий меч. Просто не верится. То, что подозревают Речицкого, меня не удивляет. Этот человек способен на все и давно нарывался. Это карма. Вы верите в закон возмездия, Лара?

Он смотрел на нее в упор. Улыбался. Улыбка у него была неприятной, а взгляд ощупывающим.

— Не знаю, никогда об этом не думала. Людей этих

не знаю. Карма или нет, судить не могу. — Слова ее прозвучали сухо и высокомерно, и она внутренне поморщилась: получилось так, словно она осуждала Артура.

— Вы правы, Лара. Промысел тех, кто там... — он ткнул пальцем в потолок, — человеку неизвестен. Все ходим... под карающим мечом, так сказать. — Он рассмеялся, давая понять, что шутит. — Как вам печенье? Продают только в одной кондитерской лавке, за театром. Лавка называется «Песня кукушки». Странное название, правда?

— Странное. Печенье вкусное. Спасибо за кофе. — Она поднялась. — Мне пора, Артур.

Он проводил ее до выхода.

— Мы еще встретимся, Лара. Мы все тут друг у друга на виду. Привет Кириллу. Я рад за вас, вы прекрасная пара.

Он смотрел ей вслед и невольно сравнивал со своей половиной. Повезло Кириллу. Приятная, без выпендрежа, какая-то несовременная...

...Лара шла по улице мимо нарядных витрин, перебирая в памяти разговор с Артуром.

Чего она так всполошилась? И взгляд не тот, и кофе потащил пить, и руку поцеловал... пытался!

Она вспомнила, как он держал ее руку, рассматривая кольцо, и поежилась. Ну и что? Мужчины заглядываются на нее, она привыкла, а Кирилл сердится и ревнует. Артур еще во время приема на нее поглядывал, да и у них дома порывался помочь на кухне. Обычный человек, не нужно драматизировать. Тем более хочет продать картину. Сказал честно, что хочет заработать... и как это расценить?

Сообщить Кириллу, что Артур готов продать? Может, в этом все дело? Охмурял ее, чтобы спихнуть картину? Точно. Нервы ни к черту. Лучше бы они сюда не приезжали!

Она уже собиралась войти в подъезд, как услышала, что сзади кто-то подошел. Она шарахнулась в сторону и оглянулась. На нее с улыбкой смотрел накачанный блондин в голубой футболке.

— Я вас испугал? Извините!

Он продолжал улыбаться, глядя ей в глаза. Пауза затягивалась.

— Забыли код? Давайте я! Не видел вас тут раньше. Денис!

Ларе ничего не оставалось, как назваться.

— Очень приятно, — сказал крепыш. — Лара! Запомню.

Он набрал код, открыл дверь и посторонился, пропуская ее.

Лара вошла в полутемный подъезд и остановилась, сделав вид, что ищет что-то в сумочке. Парень вызвал лифт и сказал шутливо:

— Прошу! Карета подана, мадам. Вам на какой?

Она заставила себя войти с ним в лифт. Стояла, уставившись в пол. Чуть не застонала от облегчения, когда лифт остановился на ее седьмом этаже.

— А мне на девятый, — сказал парень. — До встречи, Лара!

Она не сразу попала ключом в замочную скважину, так дрожали руки. С силой захлопнула за собой дверь, прислонилась к стене и закрыла глаза, чувствуя, как колотится сердце.

«Да что с тобой? — подумала с отчаянием. — Возьми себя в руки! Перестань шарахаться, скажи спасибо за... За все! И успокойся, наконец!»

Кончилось тем, что она заплакала...

Вечером она сказала Кириллу, что была в галерее, хотела еще раз посмотреть на картины Марка Риттера, а потом пришел Артур, привет передавал.

— Знаешь, Кирюша, по-моему, он готов продать картину. Но мне больше нравится пейзаж, он какой-то радостный, а женщина... просто пятно.

— Таких пейзажей сотни, а женщина одна, она необычна и оригинальна. Это вложение. — Тон у мужа был назидательным. Смотрел он мимо Лары, был чем-то расстроен.

— Ты серьезно думаешь купить эту картину? — спросила она.

Кирилл не ответил. Молча жевал, и Лара почувствовала недоброе. Ее так легко испугать в последнее время. Или ревнует к Артуру?

— Кирюша, мы виделись всего пару минут, я уже уходила, когда он пришел... — Тон у нее был виноватым. — Что случилось, Кирилл? Что-то по работе?

Муж пожал плечами и неохотно сказал:

— С этим заводом я рассчитывал на большее. И, похоже, промахнулся. И городишко мне не нравится, мелкое провинциальное болото. Махнуть бы за границу! Гриша зовет в Чехию, у него там успешный бизнес, предлагает поучаствовать. Это Европа!

Лара похолодела. Кириллу наскучило дело, и он теперь будет оглядываться в поисках нового занятия. Гриша, которого Андрей в свое время погнал с должности главного менеджера, жулик, клейма негде ставить. Ему нужны деньги Кирилла, а тот готов сунуть голову в петлю. Или тут что-то другое? Снова в бега?

— А те люди... — начала она осторожно, — которые угрожали, помнишь?

Кирилл дернул плечом и промолчал.

Лара хотела рассказать про подозрительного соседа-блондина, который заговорил с ней у подъезда, но не решилась.

Кирилл достал из буфета бутылку водки. Налил в рюмку, выпил одним глотком, шумно выдохнул. Он ел жадно, неопрятно, забыв о ней, и Лара поняла, что дела плохи. Их поспешный отъезд ничего не решил, мировая с кредиторами, видимо, не состоялась. Их найдут рано или поздно или уже нашли...

Глава 21

История греха

Сумрак за черным окном
В полночь тоскливо погас...
...Сумрак, бесстрастен и нем,
Тускло глядится ко мне.

Валерий Брюсов «В пути»

— Я мало что помню, — Речицкий облизнул губы. — Восемь лет назад, двадцать восьмого августа, я встретился с инженером инструментального завода, надо было кое-что заказать. Посидели с ним в ресторане, выпили. По дороге домой встретил девушку... Она застряла в щели люка, в смысле каблук. Я помог вытащить. Пошли в бар поблизости, она пила шампанское, я — виски. Красивая высокая блондинка, шикарно одетая. Веселая, смеялась, шутила... — Он снова облизнул губы. — Взяли шампанское, коньяк, ликер... еще какую-то дрянь, еды и поехали к ней. Я хотел в гостиницу, она отказалась, сказала, не любит гостиниц, можно к ней. Взяли такси. Поехали по адресу Космонавтов, три, квартира восемь, второй этаж. Старый дом. Ну, как водится... Она была профи, я сразу понял. И заводная! Шутила, мы много смеялись. Мы здорово упились... кажется, она меня поцарапала, причем сильно, до крови. Я только дома заметил, что до крови. Было больно, я прилично набрался... Я скрутил ей руки и ударил по лицу... это получилось спонтанно. Она попыталась освободиться, что-то кричала... Что было дальше, не помню, отключился. Утром проснулся и увидел, что она мертва, а рядом нож. У нее в кухне были ножи на деревянной подставке, наверное, оттуда. — Он надолго замолчал.

Они сидели в скромной комнате свиданий, мэтр Рыдаев, как и обещал, добился встречи с задержанным. Здесь было пусто, безлико и проникнуто казенным духом безнадежности...

— Может, она была еще жива, вы проверили? — спросил Монах.

— Нет! Я не мог до нее дотронуться. Все было в крови. Я тоже... кровь была у меня на руках и, кажется, на лице... Я увидел, что руки в крови, только на улице.

— Что было потом?

— Я оделся и ушел. Было около половины седьмого. Мне хотелось убраться подальше. Зашел в какой-то парк, упал на скамейку... Долго сидел, потом поехал домой.

— Кому вы позвонили? — спросил Монах. — Правду! Говорите правду.

Мэтр Рыдаев шевельнулся протестующе, но промолчал.

Речицкий отвел взгляд.

— Вы позвонили... кому? Если никто не нашел труп этой девушки, ваш адвокат узнавал, то это значит, что труп убрали. Кто?

— Яник... Яков Ребров. Я позвонил ему, и он... Он сказал, чтобы я ехал домой, что он разберется. Спросил, какой адрес и этаж. И я поехал домой...

Речицкий замолчал.

— Что было дальше?

— Дальше... Дома я напился. Жены не было. Я пил прямо из горла и пытался вспомнить, что было вечером, как я ее встретил, как она выглядела, что говорила, где мы купили вино и еду... в каком-то небольшом магазине... Вспомнил, что мы зашли в бар, там ее знали, бармен подмигнул ей, а она рассмеялась и шлепнула его по руке. Кажется, он назвал ее по имени. Вспыхивали какие-то бессвязные картинки... Я ничего не помнил! Память как будто стерло тряпкой. В ванной, в зеркале, увидел себя и не узнал. Стоял и смотрел, не узнавая. Потом с полчаса стоял под горячим душем. Свернул одежду и сунул в полиэтиленовый мешок, поставил под дверь, чтобы не забыть вынести. В тот день не решился выйти, не мог. Упал в постель и проспал до трех утра. Разбудил меня телефонный звонок, это был Яник. Он сказал, что все в порядке, что я могу выдохнуть.

— Что он имел в виду?

— Я не спрашивал. Мы никогда об этом не говорили. Он сказал, что вчера мы были у него, выпили, и я остался ночевать. «Это все, что ты должен знать, — сказал. — Остальное — забудь».

— Как назывался бар?

Речицкий задумался, пытаясь извлечь из глубин памяти название бара.

— Кажется, что-то космическое, — сказал наконец. — Не помню.

— Что же там все-таки произошло? Совсем ничего?

— Не знаю. Не помню...

— Помните, как ее звали?

Речицкий покачал головой:

— Нет. Кажется, Лида или как-то так. Это все, что я помню. Много выпил. Шампанское, виски... Меня сразу забрало. Ничего не помню. Не знаю, что там было. Все как в тумане... — Он снова замолчал. — Когда майор показал мне эту запись... это было как гром с ясного неба! Я был потрясен!

— То есть раньше вы эту запись не видели?

— О чем вы! Нет, конечно. Я даже не знал, что она существует. Честное слово! Ни сном, ни духом! Ничего не понимаю... Откуда она вообще взялась? Яник никогда ничего не говорил... Мы дружили со школы, я его вытащил, понимаете? Давал деньги на фонд, помог раскрутиться, никогда не отказывал. Не понимаю... — снова повторил Речицкий. — До сих пор не верю... Я понимаю, что запись нашли во время обыска, это делает меня подозреваемым, но он никогда не пытался меня шантажировать, понимаете? Мы дружили! Я тогда сильно пил, допился до психушки. Яник всегда был рядом, я мог на него положиться. Поверьте, она мне несколько лет снилась, я часто думал, кто она такая, есть ли у нее семья, возможно, они ее ищут, а у нее даже могилы нет... зарыта где-то в лесу, как падаль...

Речицкий говорил как в горячечном бреду, запинался, бросал незаконченные фразы, не мог подобрать нужных слов.

Монах видел, что он говорит с облегчением, ему хотелось выговориться и сбросить груз, который давил столько лет. Ему казалось удивительным, что драчливый и скандальный Речицкий на поверку оказался совершенно другим человеком и так быстро сломался...

— Вы видели всю запись?

— Нет, только куски.

— Вы не попросили показать все?

Речицкий пожал плечами.

— Чего вы ожидаете от меня? — спросил Монах.

— Я помню, как вы искали убийцу девушек, как приходили ко мне, расспрашивали, а теперь мы опять встретились... Это как судьба, понимаете. Найдите ее семью, узнайте, кто она, как зовут. Паша хочет выставить меня психопатом, доказать убийство по неосторожности, по пьянству... не знаю. А тут еще самоубийство Яника... Не верю, не такой он человек! Он был счастлив, он получил от жизни все, чего хотел, понимаете? Он ни за что бы... Ни за что! Меня снова и снова допрашивают насчет Анфисы, по их версии, у нас был роман, а Яник узнал, и мы поскандалили. Или что он меня шантажировал той записью, и мне это надоело наконец, и я его убил. Мое алиби разбирают на атомы. С Анфисой все ясно, тут у меня алиби железное, а вот алиби на время смерти Яника у меня нет. Как я понимаю, если бы не эта запись, самоубийство не вызвало бы вопросов, а так я подозреваемый, и они не остановятся. Кому выгодно? Мне!

— Как, по-вашему, эта запись могла попасть в руки Реброва?

Речицкий помолчал и сказал после паузы:

— О мертвых ничего, кроме хорошего, так, кажется? До меня доходили кое-какие слухи о подпольном бизнесе Яника, но я туда не лез. Он знакомил меня с девушками, значит, мог знакомить и других. Записывать и просить пожертвовать на фонд. Почему он записал меня? Не знаю. На всякий случай. Или случайно. Девушка решила подработать самостоятельно, подцепила меня на улице и... Когда я позвонил и рассказал, что произошло, и назвал адрес, он понял, что нужно убрать улику... видеокамеру, а заодно и... ее. Его могли там видеть, а потому ее не должны были найти, чтобы не возникло вопросов. Мало ли, уехала и уехала. Тем более если она была не местная...

— Дайте руку! Положите на мою. — Монах протянул ладонь, и Речицкий положил сверху свою.

Монах уставился ему в глаза и спросил:

— Это вы убили Реброва?

— Нет. Клянусь... чем хотите! Как бы там ни было, он был моим другом. В драке, наверное, мог бы, по пьянке, но чтобы вот так, перерезать вены, положить в ванну... Я вообще не представляю себе, как это можно было проделать. В самоубийство не верю, а убийства не представляю.

— У Реброва были враги? Какие-то стычки? Ему угрожали?

— Были, наверное. Его били раз или два, были скандалы... Его бизнес предполагал скандалы, понимаете?

Он всегда говорил, что не бывает плохой рекламы. Скандалы — да, но чтобы дошло до убийства... вряд ли, все по мелочи. А те, кого он шантажировал... предположительно, предпочитали платить.

— Вернемся к девушке. Вы точно помните, что видели рядом с трупом нож?

— Да. Там был нож. Я говорил.

— У вас уже была история с ножом, двадцать лет назад, если не ошибаюсь.

— Была. Незнакомый пьяный парень в баре набросился на меня с ножом, я был сильнее, отшвырнул его, и он порезался... вот здесь, — Речицкий показал себе на грудь. — Я схватил нож, стоял, как дурак, над ним, он матерился, набежали люди, вызвали милицию. У меня нет привычки таскать с собой нож, да и ножа нет. Полагаюсь на собственные кулаки. — Он сжал руки так, что побелели косточки...

...— Спасибо, что встретились с ним, — сказал адвокат, когда они уже шли по улице, попрощавшись с Речицким. — Для него это много значит.

— Чем смогу... — неопределенно произнес Монах.

— Я вообще бы не придавал значение этой записи...

— Я могу ее посмотреть? Вы сказали, что сможете достать.

— Не получается пока. Знаете, почему? Одна маленькая птичка шепнула мне, что таких записей у Реброва... Господи, упокой его душу, была целая коллекция. Если сделать их достоянием гласности, получится некрасивая картина. На этом я построю защиту — мотив для убийства Реброва был у многих, многие хотели подержаться за его шею.

— Сложный способ убийства, — заметил Монах. — Вы уверены, что это не самоубийство?

— Уверен. Они нашли еще чью-то кровь на полу в прихожей, сделали анализ ДНК. Чью-то! Взяли у Володи образец, оказалось, не его. То есть тот, кто резал ему вены, видимо, сам порезался. Так что, убийство. Я подозревал, что Ребров зарабатывает на девочках, но одно дело подозревать, другое — знать. По умолчанию, каждый мужчина... гм... — мэтр слегка запнулся, — встречается с разными женщинами, мы не дети, господа. Супруги зачастую нас подозревают, но не пойман не вор. Но когда тебе говорят, завтра твои фотки из спальни будут гулять по Интернету, ты платишь. Представляю, как Ребров удивился, когда в шесть утра ему позвонил Речицкий и рассказал об убийстве. Он зачищал не только после друга, но и после себя. Если бы узнали, кто эта девушка, установили бы связь между ними, нашли бы видеокамеру... Представляете? А запись оставил себе на всякий случай. Дружба... — Рыдаев хмыкнул скептически. — Никому нельзя верить. А Речицкий был уверен, что Ребров бросился защищать его, а не себя. Это стало для него ударом. Вы виделись с ним всего один раз, а я знаю его много лет. Он сломался! Ему все равно, что будет с ним дальше. Это хуже всего.

— Та история с ножом... он действительно защищался?

— Да. Но тот паршивец был сыном местного туза... вы понимаете? Если бы не я, Володя загремел бы надолго. Нож был не его, он всегда полагался на собственные кулаки, как он сказал. Несколько лет занимался карате, мог справиться с целой компанией. Характер

175

паршивый, не спорю, типичный бузотер, чуть что, лезет в драку...

— Такой не будет резать кому-то вены.

— Именно! Дело развалится в суде, я и не таких вытаскивал. Если дойдет до суда. — Он помолчал, потом предложил: — Может, по кофейку? Тут рядом приличная кофейня.

Но Монах отказался, соврал, что его ждут. Ему хотелось остаться одному и подумать. Кроме того, мэтр Рыдаев его утомил.

Они обменялись рукопожатием и разошлись.

Глава 22
Совет в «Тутси»

Они снова собрались в «Тутси» у гостеприимного Митрича.

Добродеев умирал от любопытства, Монах был спокоен как удав.

— Ну что? Как прошла встреча? Я думал, ты позвонишь! Что он сказал? — Добродеев сыпал вопросами, не дожидаясь ответов.

— Нормально прошла, — сдержанно отозвался Монах.

— Чего он хочет?

— Чтобы мы нашли следы той девушки.

— Зачем?

— Во-первых, Рыдаев не хочет никаких неожиданностей, он должен иметь все козыри на руках и знать наверняка, что там произошло. Может, следствие и не будет копать, но если начнет, то мы должны успеть раньше. А во-вторых, Речицкого замучила совесть. Рыдаев говорит, что он сломался.

— Еще бы! Он думал, никто ничего не узнает, восемь лет все-таки. А тут оказалось, что запись сделал и хранил с какой-то целью его лучший друг Ребров, что это была квартира, куда девушки приводили мужчин, и камера там тоже работа Реброва. Ежу понятно, в случае чего, он бы ее предъявил и... сам понимаешь. По-моему, сильный мотив. А может, действительно предъявил или намекнул.

— Речицкий не знал про запись, — сказал Монах. — Ребров помог ему избавиться от трупа. Он сам замешан по уши. Не думаю, что он стал бы шантажировать. Они были в одной связке. Мы даже не знаем, кто установил камеру. Да-да, ищи, кому выгодно, — сказал Монах, видя, что Добродеев собирается возразить. — Скорее всего, Ребров, на девяносто девять процентов Ребров, но свидетелей-то нет! И потом, ну, записал он своего приятеля, ну и что? Быль молодцу — не укор, Речицкого таким не запугаешь. Наоборот, только рад будет засветиться. Ребров не мог ожидать, что произойдет убийство. Ему бы уничтожить запись, так как это улика против него тоже, но он решил придержать ее... на всякий случай. Что было идиотским решением.

— Ты думаешь Речицкий не знал про запись? Может, и не знал. А может, знал. Сейчас это не важно, доказать ничего невозможно. Допустим, Яник попросил у него денег, а тот отказал, и тогда Яник показал ему кино... Или нет! — Добродеев рассуждал увлеченно. — Он стал шантажировать его тайно, надеясь, что Речицкий заплатит. Ты же понимаешь, что все жертвы клали деньги в условленное место, а не передавали из рук в руки. Они даже не знали, кто их шантажирует. Это элементарно.

— Ага, все знают, криминальное кино смотрят. Речицкого не шантажировали, Лео. А если бы даже и шантажировали, то, по твоим словам, он не знал, кто, а потому ему незачем было убивать Реброва. Ему бы не пришло в голову, что замешан его друг. Не думаю, что Ребров стал бы его шантажировать. Ему достаточно было время от времени напоминать о том, что он его вытащил. Я уверен, Речицкий и сам не забывал, чем ему обязан.

— Как версия! А ты не допускаешь, что он как-то узнал, кто шантажирует? Догадался! — Добродеев с горящим взором выдвигал одну версию за другой. — Допустим, принес деньги и увидел Реброва... Или отказался платить, проанализировал то, что произошло, и догадался. И устранил!

— Ты веришь, что он мог... устранить его именно так? Давай-ка смоделируем ситуацию, Лео. Ты убил женщину, тебя шантажируют, ты принимаешь решение убить шантажиста, который, как ты обнаружил, в то же время твой близкий друг. Давай, Лео, действуй, напряги фантазию. Ты спец в криминальной хронике, всякого навидался. Давай! Мне интересно, как ты проделаешь всю операцию. В деталях, пожалуйста. Представь, что я тебя шантажирую, и ты приходишь разобраться. Ты звонишь в дверь, я спрашиваю: кто. Дальше! Ну! Поехали.

— Ну, я вхожу, говорю, давай посидим, я тут принес... А он... то есть, ты, говоришь, заходи, гостем будешь. Потом мы сидим и пьем в кухне, и я, допустим, подсыпаю тебе в коньяк...

— Вроде ничего не выявлено, — сказал Монах.

— Ну, тогда коньяк и пиво... В большом количестве.

— Он пил виски, бутылка была в ванной комнате.

— Ну или виски, не суть. Он... То есть ты, пьянеешь, и я тебя...

— Что?

Добродеев задумался.

— Тебе нужно меня раздеть, налить в ванну горячей воды, дотащить меня туда и погрузить. Или принести, исходя из того, что я ничего не соображаю, упитый до положения риз и самостоятельно передвигаться не могу. Потом взять мою бритву и... Ты готов поверить, что Речицкий способен на такое?

— По-твоему, самоубийство?

— Не все так однозначно, Лео. Не знаю. Если не самоубийство, то... месседж.

— Какой месседж?

— Не знаю. Убийца зачем-то устроил спектакль, технически трудный для исполнения. Зачем так сложно? Ну-ка?

— Месть? — предположил Добродеев.

— Возможно, месть. Им двигало сильное чувство. А что ты скажешь о характере убийцы?

— Ну, какой-то... одержимый. С отклонениями. Одержимый идеей мести!

— Именно! Сильное чувство. Ему мало убить, ему нужно шоу. Зрелище. Много крови! Враг захлебнулся собственной кровью, выставлен на обозрение... Даже иллюминация в квартире — шоу. Сцена. Софиты. Кроме того, Лео... — Монах замолчал.

— Что? — выдохнул Добродеев.

— На полу в прихожей нашли еще чью-то кровь. Причем, кровь не Речицкого. Одного этого достаточно, чтобы разбить обвинение Речицкого в убийстве Реброва. Как сказал мэтр Рыдаев, желающих потрогать Яника за шею было много. Даже разговор, который я случайно услышал, говорит о том, что у него были враги. Лично меня настораживает другое. Адвокат при всех его связях не мог заполучить копию записи и знает о том, что на ней, только со слов Речицкого. Почему?

— Почему? Да какая разница! Ну, увидел бы своими глазами... ну и что?

— Кроме того, Речицкий также не видел всей записи, а только куски. Ему не показали. Опять возникает вопрос: почему?

— Ну и как, по-твоему?

— Как по-моему? Запись очень низкого качества или повреждена, с провалами, иногда изображение очень темное...

— Ну и что? Куда ты клонишь?

— А подумать, Лео? Напряги серые клеточки. Ну? Никаких мыслей?

Добродеев уставился в пространство. Пауза затягивалась. Наконец он пожал плечами.

— Сдаешься? — ухмыльнулся Монах. — Речицкий не видел всей записи, Рыдаеву не показали... Ничего не светит?

Добродеев выглядел озадаченным.

— Я понимаю, Лео, сочинять легче, чем думать. По одной-единственной причине: на записи нет сцены убийства! Потому ее не хотят показывать адвокату и не показали подозреваемому.

— Тогда о чем речь? Если нет сцены убийства...

— Она предполагается. Антураж, мизансцена, то, как он судорожно собирал одежду, его собственные показания... Все за то, что он совершил убийство. Но главной сцены у них нет.

— Подожди, ты думаешь, это не он? Ты думаешь, убил ее кто-то другой? — Добродеев снова задумался. — А что... очень может быть, — пробормотал. — Допустим, вернулся ее парень... Потому и на записи ничего нет. А кто вырезал сцену убийства?

— Никто. Качество слабое, как я уже сказал, и она просто *выпала*, понимаешь? Случайность. Запись — косвенная улика, она имеет смысл только вкупе с показаниями самого Речицкого. А он верит, что убил. Верит! Что именно произошло, не помнит, был пьян. Помнит только, что была размолвка, она его оттолкнула, и он ее ударил. Насчет кого-то другого... черт его знает, Лео. Пока туман. Давай ввяжемся, а там посмотрим. Не будем множить сущности... пока.

— Что будем делать, Христофорыч?

— Покопаемся, Лео. Речицкий сказал, что она несколько лет ему снилась, что она зарыта где-то, как падаль... Я обещал найти ее. Пусть хоть похоронит по-человечески. Посмотрим, что удастся выудить.

— Похоже, сломался, — заметил Добродеев. — Сильный характер, драчун, скандалист — и сломался...

— Драки и убийство далеко не одно и то же, Лео.

Добродеев кивнул, соглашаясь, и сказал:

— Христофорыч, мы можем поговорить с кем-то из девушек Реброва, спросить, правда ли, что он давал наводку на денежных тузов... как-то так.

— Интересная идея, — заметил Монах. — Можно попробовать. Только вряд ли признаются. Кто же в таком признается? Я бы на их месте не признался. А ты? Пусть майор с ними говорит, у него полномочия.

Добродеев подумал и спросил:

— А куда он дел труп?

Монах передернул плечом: мол, мало ли, куда.

Сказал после паузы:

— Ты рассказал Мельнику о телефонном звонке Реброва?

— Нет! Он бегает от меня. Я набирал его раз десять, и облом. Но я его додавлю. С чего начнем? — деловито спросил Добродеев.

— У меня есть адрес квартиры, где произошло убийство. Оттуда и начнем. Можно завтра же с утречка, как тебе?

— Согласен. — Добродеев помахал Митричу; тот встрепенулся и стал нагружать свою тележку...

Глава 23
Сны как явь...

..Женщина, осторожно и бесшумно ступая, бродила по дому, переходя из комнаты в комнату.

Была ночь, дом был чужим, наполненным неравномерным серым свечением. Она кружила по дому, снова и снова проходя через двери в комнаты, которые всякий раз казались другими, то бóльшими, то меньшими. Она скользила медленно, стараясь не наткнуться на стены и мебель, каким-то образом чувствуя преграду и уклоняясь.

Черная фигура шагнула ей навстречу ниоткуда, и она почувствовала, как ледяные пальцы сжались у нее на запястье. Она закричала и рванулась, но звука не было. И тогда она ударила руку ножом, целясь наугад. И снова закричала от резкой боли и выпустила нож. Нож воткнулся острием в пол, и теперь слегка раскачивался, напоминая маятник. Мужчины больше не было, он исчез. Она с ужасом смотрит на свою руку, на кровь, стекающую к локтю и капающую на пол. Она зажимает рану другой рукой и кричит, запрокинув голову. Но звука по-прежнему нет. Вокруг ночь и тишина...

...Добродеев наконец дозвонился до майора Мельника и попытался заинтересовать его подслушанным телефонным разговором Реброва, когда тот обещал размазать кого-то по стенке. В ответ он рассчитывал на информационную косточку, но просчитался.

Мельник буркнул: «Спасибо» — и отключился.

Они выявили всех, с кем Ребров говорил за последние несколько дней перед не то убийством, не то самоубийством, и теперь благодаря Монаху он знал, о чем шла речь. Вернее, о том, что Ребров угрожал звонившему.

Да, был звонок в указанное время, но звонивший забыл упомянуть об этом во время их беседы.

Говорил Ребров с Ольгой Полторак. С Одри́.

Видимо, придется поговорить с ней еще раз и спросить, о чем был разговор. Заодно прояснить некоторые моменты с тайным бизнесом покойного. Спросить прямо: было? И показать фотографии девушки с записи восьмилетней давности. Может, она ее узнает.

Оля постучала в дверь кабинета, услышала энергичное «Войдите!» и толкнула ручку. Поздоровалась и улыбнулась.

Майор Мельник на улыбку не ответил и сказал сухо:

— Прошу вас, Ольга Ивановна, присаживайтесь.

Девушка села на край стула. Она больше не улыбалась, на лице ее появилось растерянное выражение.

— Ольга Ивановна, у меня к вам несколько вопросов. Она кивнула.

— Посмотрите, пожалуйста, вам знакома эта женщина? — Майор положил на стол перед ней три фотографии девушки с видеозаписи.

Оля наклонилась, присматриваясь. Выпрямилась и покачала головой.

— Не торопитесь, Ольга Ивановна, посмотрите еще раз. Качество не очень хорошее, но тем не менее.

Оля послушно склонилась над фотографиями. И снова покачала головой.

— Я никогда ее не видела. Кто это?

— Я немного подтолкну вашу память. Возможно, эта девушка восемь лет назад была участницей конкурса «Мисс города». Вы помните, кто там был?

— Было много, но не все попали. Я ее не помню.

Она смотрела на майора, в ее глазах был вопрос, и он, кашлянув, отвел взгляд.

Помолчал немного и спросил:

— Когда вы были в квартире Якова Реброва в последний раз?

На лице девушки появилось недоумение, она вспыхнула и пожала плечами:

— Не помню. Заходила с Аней несколько раз.

— Можно поточнее? — Он сам удивился своему жесткому тону.

Она ему понравилась, и он словно мстил ей за свою слабость. Его иногда называли «робот» за отсутствие обычных человеческих эмоций, того же чувства юмора, например, за неумение шутить и рассмеяться чужой шутке. Даже в его обостренном восприятии времени было что-то нечеловеческое, что-то от робота.

— За неделю до... — Оля запнулась. — Мы приходили его проведать, у него была температура, какой-то вирус. Он кашлял и пил чай с лимоном и медом. Ну, мы посидели, поболтали, выпили бутылку вина, и я ушла.

— Понятно. Какие отношения связывали лично вас с Яковом Ребровым?

— Лично меня? — Она удивилась. — Никаких. Просто дружеские.

— Вы часто ему звонили?

— Я? Очень редко, у нас с ним не было никаких дел. А что?

— Когда вы звонили Реброву в последний раз?

— Не помню... Кажется, две недели назад, нас всех пригласили в гости, а я не смогла. Позвонила и сказала, что не приду.

— Почему вы позвонили ему, а не своей подруге Трепаковой?

Оля пожала плечами:

— Так получилось. Они же все равно были там вместе.

— Можно поподробнее, о чем вы говорили?

— Ни о чем таком. Я сказала, что не могу прийти.

— Почему?

— Устала. Затеяла генеральную уборку и... А если честно, не особенно хотелось их всех видеть. Володя Речицкий год назад пытался познакомиться со мной поближе, я отказалась, он разозлился.

— А что сказал Ребров?

— В каком смысле?

— В прямом. Это же он вас познакомил, так?

— Да. Он сказал, что я напрасно, что Речицкий хороший человек и, главное, сейчас в разводе. А мне давно пора замуж.

— Он пытался знакомить вас с другими мужчинами?

Девушка вспыхнула.

— Иногда. Но давно уже. Честное слово! — вырвалось у нее, и майор понял, что она прекрасно понимает, куда он клонит.

— Вы позвонили ему, а не подруге, потому что он снова убеждал вас ответить Речицкому?

— Да. Сказал, что я ему очень понравилась и он настаивает.

— Что вы ему ответили?

— Что, если он будет приставать, то заявлю про его фонд.

— Что вы имели в виду?

— Ходили слухи, что он заставляет девочек... одним словом, знакомит их с мужчинами и обещает... — Она замолчала.

На нее жалко было смотреть, она чуть не плакала.

— Что он ответил?

— Наорал на меня, сказал, что я неблагодарная.

— Что он имел в виду?

— Он устроил меня на работу. Один звонок, и меня взяли. У него были связи, он всех в городе знал. Он и Аню устроил в Дом моделей.

— Как ваша подруга относилась к его предложению?

— Уговаривала согласиться, говорила, что Речицкий в разводе, что он на меня запал, может, женится.

Она не смотрела на него, у нее пылали щеки, она судорожно сжимала кулаки.

Майор Мельник, помолчав, сказал:

— Вам нужно сдать анализ ДНК. Я сейчас вызову сестру.

— Зачем? — Она испугалась. — Вы думаете, это я его убила? Но это же самоубийство! Все говорят!

— Это обычная процедура, — успокоил он. — И не больно. Видели в кино?

...Он протянул ей пропуск. Заставил себя произнести стандартное:

— Если что вспомните, телефон знаете.

Она молча кивнула и вышла.

Еще с полминуты он слышал, как цокали по плитке коридора ее каблуки. Он представил, что она идет по улице и плачет. У него держалась, а когда вышла... Или сидит в парке с зажатой в руке салфеткой, униженная, напуганная, растерянная. Он вспомнил, как они пили чай в ее кухне, уютной, как кукольный домик, где все говорило об отсутствии мужчины...

— Черт! — Он грохнул кулаком по столу. — Черт! Черт!

Глава 24
Пусть прошлое хоронит
своих мертвецов...

Улица Космонавтов, дом три, квартира восемь. Не окраина, но от центра далековато.

Они стояли перед девятиэтажным домом из тех, что пришли на смену хрущевкам — с улучшенной планировкой, с лоджиями, с эркерами, — которые, в свою очередь, тоже успели устареть.

Дом выглядел непрезентабельно: давно не мыт, с захламленными балконами, нечистыми подъездами и разбитыми детскими площадками.

Монах без труда открыл входную дверь, они поднялись на второй этаж, где располагалась квартира номер восемь, и позвонили.

За дверью раздался шорох, видимо их рассматривали в глазок; потом мужской голос произнес:

— Кто?

— Из «Вечерней лошади», по письму от общественности, — отрапортовал Добродеев. — Журналистское расследование.

— Чего? Какому еще письму? Мы ничего не писали.

Дверь приоткрылась на длину цепочки, и стал виден крупный мужчина средних лет в тренировочных штанах, с голым торсом, босой.

— Мы не могли бы поговорить? — выступил Монах. — Вопрос серьезный.

Мужчина почесал живот, подумал и спросил:

— А удостоверение у вас есть?

— А как же! — Добродеев достал удостоверение. — Вот! Добродеев Алексей Генрихович. А это Монахов Олег Христофорович.

Мужчина снял цепочку.

— Проходите. Муся, к нам пришли!

— Кто пришел? — В прихожую выплыла полная женщина в коротком красном халатике.

— Из газеты, хотят поговорить, — объяснил мужчина. — Журналистское расследование.

— Из какой газеты? — спросила Муся. — Из нашей?

— Из нашей. Ты бы оделась, мать. Пошли, мужики, в залу, там и поговорим.

Они вошли в светлую комнату с обилием цветов. Здесь преобладал зеленый цвет. Диван был зеленым, два кресла и ковер на полу тоже были зелеными. Даже обои и картины — пара пейзажей — были зелеными.

— Хорошо у вас, — заметил Добродеев. — Как в лесу.

— Это все Муся, наш агроном, — ухмыльнулся хозяин. — Мне они вот уже где сидят! — Он сделал выразительный жест рукой по горлу. — Все время цепляю, повернуться негде. — Ну, так в чем дело?

— Без меня не начинайте! Я сейчас! — раздался из глубины квартиры крик Муси. — Надень рубашку!

— Как вас зовут? — спросил Монах.

— Константин Рыбак, а жену Людмила. Муся. Я газеты вообще не читаю, нету времени, а Муся это дело любит. Особенно про барабашек. Начитается, а потом мозги мне выносит. А вы, извиняюсь, кто будете? — обратился он к Монаху. — Тоже журналист?

— Олег Монахов экстрасенс, — поспешил Добродеев. — Консультирует газету.

Что такое «консультирует газету» — бог весть. Добродеева понесло. Но никто и не собирался выяснять.

— Экстрасенс? — удивился Костя. — Настоящий? Муся! Ну где ты там? К нам экстрасенс!

— Кто экстрасенс? — спросила появившаяся Муся. — Ой, а я вас знаю! Вы Алексей Добродеев, я была на встрече, где вы рассказывали про всякие паранормальные явления. Мы с соседкой ходили!

Добродеев и Монах поднялись.

— Рад! — сказал Добродеев. — А это известный экстрасенс Олег Монахов.

— Очень приятно! Костя, иди оденься. Давайте чайку или кофе, у меня есть яблочный пирог.

— Спасибо, не беспокойтесь, — поспешил Монах, видя, что Добродеев не прочь откушать пирога. — У нас через час встреча. Давайте просто поговорим.

— Да, да, — с сожалением подтвердил Добродеев. — Как-нибудь в другой раз. Мы пришли кое-что узнать. Я сейчас собираю материал про паранормальные явления на бытовом уровне, так сказать. Полтергейст, летающие тарелки, магию.

«Куда тебя несет?» — было написано на лице Монаха.

— Пару лет назад я получил письмо от человека, который не назвал своего имени. Хотел заняться им раньше, но все руки не доходили. Он пишет о том, что по вашему адресу, в вашей квартире жила ясновидящая...

— Ясновидящая? — поразилась Муся. — Какая ясновидящая? Когда?

— Если меня не подводит память, лет восемь или девять назад. Это не вы, случайно?

— Я? Нет, ну что вы! — Муся вспыхнула. — Ничего такого. Мы здесь всего пять лет!

— Купили квартиру у Юры Куприка, он живет на четвертом, — сказал одетый в джинсы и рубашку Костя, появившийся с подносом, где стоял графин с водкой, рюмки и вазочка с орешками. Он поставил поднос на журнальный столик. — Мама его умерла, и он продал. Здесь жила его мама. А мы сейчас тяпнем за знакомство! Мать, у тебя вроде пирог был?

— Да я уже предлагала, но у них через час встреча. Они говорят, у нас тут жила ясновидящая.

— Первый раз слышу! Мама Юрика ясновидящая? Он не говорил.

— Нет, молодая девушка.

— Девушка? — Мужчина нахмурился, соображая. —

А вот мы сейчас вызовем Юрика, пусть сам расскажет! — Он достал из кармана мобильный телефон. — Он как раз из плавания пару недель как вернулся, отдыхает. Моряк!

Пришел Юрик, полку прибыло. Был это большой немногословный мужчина, стриженный под ежик. Их представили.

— Юрик, твоя мама была ясновидящей? — с места в карьер спросила Муся.

— Мама ясновидящая? — удивился Юрик. — С чего ты взяла?

— Подожди, мать, сначала примем за знакомство, — вмешался Костя.

Они приняли.

Короче, история была такая. Когда он в плавании, иногда по полгода, его мама проживала в его квартире, а свою сдавала.

— Действительно, была молодая девушка, студентка. Красивая, блондинка, мама ее очень любила, даже хотела нас свести, — сказал Юрик. — Моя бывшая как раз свалила, сказала, что ей нужен муж, а не турист, и мама очень переживала.

— И ты отказался? — ухмыльнулся Костя.

— Не то чтобы отказался. Она совсем девчонка, разница лет пятнадцать, куда она мне? Да и ей кого помоложе надо. А так хорошая была, умненькая, маму все опекала. Насчет того, что экстрасенс, мама ничего не говорила.

— Как ее звали? Договор был? — спросил Добродеев.

— Какой договор, о чем вы! Кто-то попросил, мама и взяла ее. Она доверчивая была, всем верила. Фамилии я вообще не знал, а звали... сейчас! Ляля вроде.

— Как она выглядела?

— Высокая, тоненькая, длинные белые волосы. Голос приятный. Глаза голубые. Красивая...

— И ты такое чудо прозевал? — спросил Костя.

— Костя! — строго произнесла Муся.

— Да я был не против... как-то раз даже в гости зашел, принес шампанское и конфеты, а она сказала, что не пьет шампанского, что ей нужно готовиться к семинару. Одним словом, я понял и больше не совался. А потом ушел в загранку. Вернулся, а ее уже не было.

— У Юрика два мальчика, — сказала Муся. — Шесть лет и три годика. Твоя Лена прекрасная жена и мать.

Юра кивнул.

Костя подмигнул Монаху: до сих пор жалеет, мол.

— Где она училась?

— Понятия не имею. Она снимала квартиру с полгода, а потом съехала. Мама говорила, оставила ключи на столе и деньги, даже не попрощалась. Мама тогда очень обиделась.

— А ее никто не спрашивал? Может, кто-то ее искал? — спросил Добродеев.

— У меня не спрашивали, а мама не говорила.

Монах вдруг сказал:

— Можно я пройду по квартире?

— Он хочет почувствовать... — пояснил Добродеев. — Очень сильный экстрасенс.

— Я вам все сейчас покажу! — вскочила Муся.

Монах потрогал себя за бороду, уставился ей в глаза и молча покачал головой. Поднялся и вышел из гостиной.

— Он работает один, — понизил голос Добродеев. — Если что-то было, он почувствует.

Костя разлил водку по рюмкам:

— За успех!

— ...Ты ее здорово напугал, — сказал Добродеев, когда они уже покинули гостеприимный дом новых знакомых. — Муся даже побледнела. По-моему, она тебе не поверила. Я уверял, что все чисто, видимо, тот человек с письмом ошибся, а на ней лица не было. Я пообещал ей абонемент на свои лекции.

— Про барабашек? Слишком сложно, Лео, много вранья.

— Много, мало... И чего мы добились, Христофорыч?

— Мы узнали, что восемь или девять лет назад была девушка, приезжая, звали Ляля, а потом внезапно исчезла, даже не попрощавшись. Мы уже знаем, что она высокая, блондинка...

— Это мы и так знали. Разве Речицкий не описал ее?

— Ты прав, мы это уже знали. Речицкий ее имени не помнит. Сказал, вроде Лида. Не то Ляля, не то Лида.

— В каком же он был состоянии, когда они встретились?

— В каком... У него была деловая встреча, договорились, обмыли... Сам понимаешь. Речицкий был в состоянии грогги, потому и не помнит ничего. А может, барышня сыпанула ему какой-то дряни.

— А что теперь?

— Нам нужна ее фотография. Звони адвокату, может, он достал запись. Нужно узнать ее имя. А там посмотрим.

— Может, ее до сих пор ищут...

Монах передернул плечом и не ответил.

Сказал после паузы:

— У нее застрял каблук, он вытащил его, и они зашли в бар. Бар он помнит, на Каштановой, несколько кварталов от Космонавтов. Что-то космическое, не то

«Космос», не то «Аэлита». Пошли поищем. Он сказал, там еще была заброшенная пожарная каланча рядом.

Бар существовал до сих пор и назывался «Байк-болид». С тематическим интерьером: плакаты рогатых байков и парней в красных и черных шлемах, яркие афиши, программы и названия гонок.

К разочарованию Добродеева, бармен, мужчина лет тридцати, газеты «Вечерняя лошадь» не читал даже в Интернете, и удостоверение не произвело на него большого впечатления.

— Журналистское расследование, — важно сказал Добродеев. — Розыск человека. К вам лет восемь назад часто заходила девушка, блондинка, высокая... Однажды вы вызвали ей такси, она была не одна.

— Да их тут хоть пруд пруди! — ответил бармен. — Все высокие, все блондинки. Других не держим. Я и вчерашних не помню, не то что столетней давности. Как ее хоть звали?

— Ляля. Или Лида.

— Ляля или Лида? — Он задумался.

Монах и Добродеев затаили дыхание.

Бармен покачал головой:

— Не припомню, извините.

— А как назывался ваш бар восемь лет назад? — спросил Монах.

Парень рассмеялся:

— «Аэлита»! Представляете?

— Может, она вовсе не Ляля и не Лида, — сказал Добродеев, когда они вышли. — Похоже, облом. Вообще, дурацкая затея, что он может помнить через столько лет!

— Потряси Рыдаева, это все, что у нас есть, — сказал Монах...

Глава 25
De profundis[1]

Был когда-то роман о том, что нет ничего лучше дождливой погоды. Суть была в том, что некий разведчик, попросту говоря шпион, прятался на чердаке и чего-то или кого-то ждал. Не то связного, не то еще чего-то. Сидел безвылазно, днем и ночью, под звуки тарахтения капель по крыше. Причем тогда еще не было ни айфона с Интернетом, ни каких-то хитрых технологий, с помощью которых за считаные минуты можно изменить внешность, соорудить новый паспорт и выскочить наружу. Или как-то отвлечься. Вот и приходилось сидеть и ждать у моря погоды.

Сюжет романа как-то размылся в памяти, а вот чердак под дождем и ожидание врезались навсегда.

Монах лежал на диване в гостиной и смотрел в потолок. Думал. Прекрасно понимая, что думай, не думай, но если нет информации, то мысли без толку, все равно ни до чего не додумаешься.

Нужен фильм. Нужны фотографии девушки не то Ляли, не то не Ляли. Возможно, Лиды. Высокой блондинки с голубыми глазами. Которая сняла на улице приличного мужчину...

Откуда известно, что сняла? Ха! Еще как известно! Сунула каблук в щель люка и застряла.

Конечно, сразу налетела куча самцов, а как же! И Речицкий в первых рядах. По наводке Яника Реброва?

---

[1] *De profundis* (*лат.*) — Из глубин. Начало покаянного псалма «Из глубины воззвав к тебе, Господи»; отходная молитва над умирающим; используется как молитва об избавлении от бед и выздоровлении.

Нет. Ему незачем, Речицкий и так подкидывает на хлеб с маслом.

Как это сейчас говорят? Башляет! Во-во, башляет, не отказывает другу детства. Хотя... не факт, что так будет продолжаться вечно. С другой стороны, Речицкого подобной компрой не убьешь.

«Допускаю, — рассуждал Монах, — что она понятия не имела про видеокамеру».

О ней знал только тот, кто ее установил, то есть предположительно Яник Ребров. С Речицким налицо слепой случай. Встрял в историю, что называется. Похоже, камера была спрятана на комоде со стороны изножья кровати — малюсенькая такая видеокамерка.

Он вспомнил спальню Кости и Муси, которая восемь лет назад была спальней девушки не то Ляли, не то Лиды, куда она приводила мужчин по просьбе того же Яника. И куда она привела Речицкого... на свою голову. Как-то так.

Это сцена номер *один*.

Монах загнул мизинец на левой руке.

Переходим к сцене номер *два*.

Ночь, красивая девушка, шампанское, агрессивный секс, драка, пощечина и... провал.

Он загнул безымянный палец.

Сцена номер *три*.

Раннее утро. Герой очнулся, увидел и ошалел. Пришел в себя и бросился собирать барахло. Собрал и выскочил из проклятой квартиры. Опомнился только в каком-то сквере, упал на скамейку и стал звонить другу Янику. Потрясенный Яник бросился зачищать следы существования Ляли, да и свои собственные.

Загибаем средний палец.

«Отсюда поподробнее, — остановил себя Монах. — Мы исходим из того, что камеру установил Яник. А если не он? Тогда он должен был засветиться на записи, когда... *зачищал*. Но не засветился. Кстати, почему? Потому что сразу выключил ее. Если не он, то как она попала ему в руки? Он. Не будем множить сущности без крайней необходимости и допустим, что самое простое решение самое верное. Значит, он».

Теперь плавно переходим к сцене *четыре*.

Монах загнул указательный палец.

Значит, так: Ребров проник в квартиру, выключил камеру и занялся зачисткой. Дождался темноты и вывез тело... Куда? Вряд ли мы когда-нибудь узнаем. Разве что он написал об этом в своем дневнике. Но опять-таки вряд ли.

Занавес.

Монах полюбовался на загнутые пальцы и оттопыренный большой и спросил себя: а что теперь?

Рыдаев говорил, заявлений о пропаже молодых девушек на тот момент не поступало. Это значит, что никто ее не искал. Да и кто бы заявил? Мама Юрика? Некому было заявлять. Девушка из другого города, студентка, снимала квартиру неофициально, расплатилась и уехала.

Где она могла учиться? Пока нет фотки, вопрос повисает в воздухе.

Яник... Ох уж этот Яник, задушевный дружбан Речицкого, таивший с какой-то целью камень за пазухой. Тоже неординарная личность, гибкий, бессовестный и... как это сказал о нем Леша Добродеев? Наглый.

Наглый, бессовестный, гибкий, такой проскользнет между капельками. Для которого скандалы хорошая реклама. Шантажист. Манипулятор. Бабник. Три дня пролежал в кровавой ванне с перерезанными венами.

Самоубийство? Судя по сложному способу убийства, скорее, да, чем нет. Исходя из образа жизни и количества потерпевших — скорее, нет, чем да.

Значит, убийство. Причем убийца человек творческий. Он не просто устранил шантажиста, он ненавидел его и мстил, устраивая шоу. Кровавая ванна вместо кирпича по голове! Было между ними что-то, чего мы, скорее всего, никогда не узнаем. Если убийца нам не расскажет, конечно.

Интересно было бы взглянуть на место, где он жил и расслаблялся. Хоть какое-то движение. Добродеев, конечно, поднимет крик, но в конце концов согласится. Он авантюрист в душе, покричит для успокоения совести, а потом всегда соглашается.

Как и ожидалось, Добродеев поднял крик. Поставил торбу с пивом на стол и завелся. Пухлые щеки дрожат, влажные пряди свесились на лоб, руками размахивает. Даже петуха дает от крика.

— Ни за что! Никогда! Забудь! Ты же обещал! А если поймают? Ты понимаешь, что речь идет об убийстве? Там все опечатано! Там пост под дверью. Охрана! О чем ты? Я пас!

Монах молчал, почесывая бороду.

Добродеев выкричался и спросил спокойно, как будто его выключили:

— На хрен?

— Хочу посмотреть, Леша. Может, сверкнет что-нибудь. Они ведь в тупике, как всегда. Неужели не хочешь попробовать? Вставить фитиля майору? За игнор!

Сколько раз ты ему звонил? И все без толку. А мы с краюшку тихонечко одним глазком посмотрим... Вдруг осенит. У меня чутье как у собаки, Лео, ты же знаешь. Если ты пас, пойду один.

— А если застукают? — спросил Добродеев почти мирно.

Монах пожал плечами.

— Когда?

— Прямо сейчас, — твердо сказал Монах. — Чем раньше, тем лучше. Все уселись перед ящиками, убивай — не почувствуют и не заметят. Самое хорошее время для всяких злодейств. Время не терпит, Лео. Мы должны погрузиться в глубины.

— Почему это оно не терпит? Мы куда-то опаздываем? Надо хорошенько подготовиться, все взвесить... — Добродеев явно тянул время, ему страшно не хотелось лезть в ловушку. — Можно завтра. Какие глубины?

— Глуби́ны жизни Яника. Все в жизни закономерно, согласен? Жилище человека отражает его внутренний мир. У меня душа горит, Лео. Еще одной ночи в неизвестности я не переживу. Какая подготовка? Возьмем фонарики, инструменты...

— Какие еще инструменты? Пилку для ногтей?

— Ну... у каждого свои производственные секреты, Лео. Дверь беру на себя.

— Я тут пиво принес, — вспомнил Добродеев. — Митрич упаковал свои фирмовые, целый пакет.

— После рейда. Пока закинь в холодильник.

— Может не получиться...

— Не надо быть таким пессимистом! Отстреляемся и выпьем. Заодно обсудим... нарытое. Я уверен, в процессе осмотра жилища появятся идеи.

Глава 26
Дом мертвеца

*Я познание сделал своим ремеслом,
Я знаком с высшей правдой и с низменным злом...*

Омар Хайям. «Я познание...»

Улица Пятницкая, дом четыре, квартира одиннадцать. Центр города, последние дома сталинской застройки.

— Хорошо, что дом старый, без наворотов. Нормальная металлическая дверь, нормальный пульт. Странно, конечно, люди состоятельные...

— У них во дворе полицейские гаражи с охраной, а на первом этаже центральный банк, тоже с охраной. Они могут вообще двери не запирать. Кстати, на первом этаже со стороны улицы его же культурный фонд.

— В этом же здании? Удобно. Туда бы тоже наведаться...

— Туда я не пойду, на улице полно народу и фонари. Точно вызовут полицию. Давай скорее!

— Прошу! — Монах отступил и дернул за ручку входной двери. — За мной, Лео! Какой у него этаж?

Они вошли в полутемный коридор. Через длинное стрельчатое окно падал сумеречный свет. Под потолком горела неяркая лампочка в матовом плафоне.

— Третий, кажется. Лифта, конечно, нет!

— Нам торопиться, некуда. Номер квартиры?

— Одиннадцать.

Они взобрались на третий этаж, причем едва плелись, напоминая похоронную процессию — из-за ноги Монаха. Тот шел впереди, Добродеев замыкающим.

Журналист весь измаялся и готов был нести Монаха на руках. Он что-то бормотал и слегка подталкивал соучастника в спину.

Наконец они добрались до третьего этажа и стали перед нужной дверью. Она была опечатана.

— Ну? — прошипел Добродеев. — Быстрее!

— Дай отдышаться, Лео! Моя нога протестует против третьего этажа. Инструмент у тебя? Как они только живут без лифта!

— Какой еще инструмент! — шепотом закричал Добродеев. — Все у тебя!

— Точно! — Монах хлопнул себя ладошкой по лбу.

Он вытащил из кармана резиновые перчатки, протянул пару Добродееву. Натянул перчатки и осторожно снял с двери бумажную полоску с лиловыми печатями, после чего вставил ключ в замочную скважину и провернул без малейшего скрипа.

Дверь подалась.

— Откуда у тебя ключ? — обалдел Добродеев.

— Это не ключ, Лео, это мастер-ключ, или попросту отмычка. Подарок одного рецидивиста. Идешь?

Он шагнул в темную прихожую первым. Добродеев поспешил следом.

Дверь с мягким металлическим щелчком захлопнулась за ними, и они оказались в кромешной темноте.

У Добродеева возникло видение захлопнувшейся клетки, и он сглотнул невольно.

— Фонарик! — скомандовал Монах. — Или лучше свет?

— Какой к черту свет! Даже не думай. На! — Добродеев ткнул ему в руку фонарик. — Иди вперед! Направо гостиная, потом кабинет, за поворотом кухня, налево две спальни и ванная.

— Бывал здесь?

— Приходилось... — туманно ответил Добродеев.

Они вошли в гостиную, большую комнату с лепниной на потолке. Здесь было достаточно светло — окна были не зашторены. Монах выключил фонарик.

Они стояли на пороге и озирались. Массивная мебель светлого палевого дерева, обилие серебра и хрусталя в серванте, плазма во всю стену, кожаный диван и два кресла благородного шоколадного цвета, темно-красный ковер на полу.

— Неплохо жил, — заметил Добродеев. — Что за дерево?

— Ясень. О, здесь бар! — Монах ткнул рукой в старинный шкафчик с пасторальной сценой на открытой дверце. Внутри стояли разнокалиберные бутылки и хрустальные стаканы. — Давно о таком мечтаю.

— Смотри, картины! Целая стена в картинах. Полтора десятка, не меньше.

Монах снова включил фонарик; луч скользнул по картинам в разнокалиберных рамах.

— Наши местные художники! — сказал Добродеев. — Я когда-то делал репортаж, брал у них интервью. Это Валентина Павленко, цветы и фрукты, у меня тоже есть ее анютины глазки. Как живые. Это Лена Сачкова, крыши Праги, набережная Влтавы. Это наша прима-балерина Наташа Тимофеева, городской пейзаж. Торчит на желтом и синем. Это первые ее работы, штучные, а последние уже неинтересны, конвейер, сюжет тот же, только цвет меняет. Даже неловко, хорошая художница! Ее «Город в дождь» я видел в четырех колерах. Хотел купить, а потом плюнул. А это снег и солнце, Гриша Натальский. Река, пешеходный мост, луг... Этих не знаю. Артур не знает про коллекцию, обзавидовался бы.

— Это сколько же они стоят? — спросил Монах.

— Не очень дорого, это же не Марк Риттер.

— Да уж... Пошли, я хочу увидеть место преступления. Ты сказал, налево?

Они остановились на пороге большой ванной комнаты.

Монах включил свет и погасил фонарик. Здесь уже не было ни крови на полу, ни кровавой воды в ванне, ни бутылки из-под виски. Пусто, безлико.

— А кто наследник? — спросил Монах. — У него есть родные? Надо спросить Рыдаева насчет завещания.

— Понятия не имею. — Добродеев раскрыл зеркальный шкафчик. — Смотри, тут целая парфюмерная фабрика!

Некоторое время они молча рассматривали десятки флаконов и тюбиков.

— Это не самоубийство, — сказал Добродеев. — Человек с таким количеством косметики не кончает с собой. Он слишком себя любит. Его убили, Христофорыч.

Монах кивнул.

— Давай в кабинет. Веди, Лео, я чего-то совсем запутался в этих хоромах.

Кабинет Яника был невелик. Темно-красный письменный стол, застекленные книжные шкафы во всю стену, небольшой кожаный диванчик.

Монах потащил из-за диванчика большую папку с рисунками, наскоро пролистал.

— Там еще картины, — сказал Добродеев. — Тайник?

— За диваном? Нет. Просто выбросить жалко, да и стен свободных не осталось.

Добродеев стал одну за другой вытаскивать картины.

— Ты прав, Христофорыч, я бы такое тоже не повесил. Зачем же он их купил?

— Может, подарки. Мне Анжелика подарила статую старика, в кладовке стоит. Жорик сказал, что им подарила соседка, а той еще кто-то. Всяко бывает. Помнишь, у одного одесского юмориста в рассказе фигурировала статуя римского воина, сушащего портянки? Это примерно из той же оперы.

— Не помню. А вот эта очень приличная... Правда, без рамы. Почему здесь? Может, с дефектом?

— Ну-ка! — Монах взял картину у него из рук, присмотрелся.

— Что-то заметил? — спросил Добродеев, заглядывая ему через плечо.

— Ничего не вижу, нормальная картина. По-моему, она раньше была в рамке, тут следы... Очень интересно! Ну-ка...

Он вышел из кабинета и вернулся в гостиную, держа в обеих руках найденную картину.

— Включи свет! — скомандовал. — На пять минут! Никто не заметит.

Монах стоял перед стеной с картинами, внимательно их рассматривая. Почти ткнулся носом. И вдруг сказал:

— Помнишь, в рассказе Честертона у монаха спросили, где можно спрятать лист? Он ответил: «Среди листьев». А бумагу? Среди бумаг. А мертвое тело? Среди мертвых тел... Помнишь?

— Помню. Ну и?..

— А где можно спрятать картину, Лео?

— В смысле?

— В прямом. Исходя из приведенного логического ряда, где можно спрятать картину?

— Среди картин?

— Среди картин. Смотри! — Монах ткнул пальцем в одну из картин такого же размера, как и та, что была в его руке.

Добродеев присмотрелся и ахнул.

— Вот тут она и висела, — сказал Монах. — Посвети фонариком, Леша! Люстра не добивает. Убийца снял картину примерно такого же размера, вытащил из рамы и вставил *это*. Причем, это не картина, а постер... и он его *подкорректировал*. А снятую спрятал за диваном. Это Яник? Похож, по-моему.

— Он! Господи! И никто ничего не заметил? Позвонить Мельнику?

— И что мы ему скажем? Доставай мобильник, Лео, сделай фотки. Она никуда отсюда не денется. И эту тоже, — он прислонил к стене найденную в кабинете картину. — Снимай все подряд!

Спустя полчаса со всеми предосторожностями они оставили квартиру Реброва.

Добродеев с минуту стоял в прихожей, прижавшись ухом к двери, прислушивался. Монах сопел ему в спину, с бумажной полоской с печатями в руке...

... — Вот она! — Добродеев развернул компьютер к Монаху.

Оба сидели за столом в кухне, пили пиво и закусывали бутербродами. Выдыхали эскападу.

— Смотри. «Смерть Марата», художник Жак-Луи Давид. Заколот кинжалом, убийца — женщина, Шарлотта Корде. А вот это наша, из квартиры Реброва. — Он придвинул к Монаху айфон. — Убийца приклеил вместо головы Марата голову Реброва с фотки. Ты был прав, Христофорыч, это месть! Ненависть, кровавая ванна, кинжал... Шоу! Убийца человек творческий, из богемы, скорее всего. А при чем тут Марат?

Добродеев ахнул:

— Женщина! Марата убила женщина, Христофорыч! Напрашивается аналогия...

Оба вздрогнули, когда подал голос айфон Добродеева. Звонил мэтр Рыдаев с новостями. Сообщил, что запись у него в руках, правда, там мало что разберешь и ничего не докажешь. Анализ ДНК показал, что кровь на полу в прихожей принадлежит женщине. Что есть хорошо для моего подзащитного, потому что он мужчина.

Голос у Рыдаева был торжествующий, язык, правда, чуть заплетался, но мысль адвокат формулировал четко.

— Да, да, спасибо! — кричал возбужденно Добродеев. — Понял! — Он отложил телефон и уставился на Монаха. — На полу кровь женщины, Христофорыч! Я был прав, это женщина! Шарлотта Корде! Реброва убила женщина, его собственная Шарлотта Корде. Закон парных случаев! Тебе не кажется, что у каждого из нас есть своя Шарлотта Корде?

— Не кажется. Что он еще сказал?

— Он достал запись. Сказал, может поделиться. И фотки уже сделал. По-моему, он принял на радостях. Отметил успех. Завтра посмотрим! Забегу к нему прямо с утра.

— Можно. — Монах «листал» картины в добродеевском айфоне. — Лео, ты знаешь художника Диму Щуку?

— Димку? Знаю. Подавал большие надежды как художник, но спился. Перебивается случайным заработком, теперь он художник-оформитель. Он подрался на вернисаже у Артура, помнишь?

— Помню. Что там за история была у них с Ребровым?

— Понятия не имею! А что?

— Артур Ондрик сказал, что у них был конфликт. Он работал на Реброва, а тот не заплатил.

— Ребров тот еще жук, все знают. А при чем Дима?

— Понимаешь, Лео, не представляю себе женщину, которая устроила такое шоу. В упор не вижу. Они мышей боятся, какая бритва, какая кровь?! Накрайняк, крысиного яду в кофе насыплют...

— Разные бывают женщины, — философски заметил Добродеев. — А Димка мухи не обидит! Нормальный алкоголик. Писал натюрморты и пейзажики, простенько, но с душой. Знаешь, сколько было таких, кому задолжал Яник Ребров? Легион.

Он помолчал.

Молчал и Монах.

— Давай за прорыв, Христофорыч! — предложил журналист, и Монах кивнул.

Добродеев разлил пиво, и они выпили.

— Не хочешь купить «Голубую женщину» Риттера? — вдруг спросил Монах.

— Я? — Добродеев поперхнулся пивом и закашлялся.

Кашлял долго и мучительно; Монах охаживал его пудовым кулаком по спине.

Откашлявшись и утершись, Добродеев спросил:

— За двести кусков зеленых? Я бы за нее и десятки не дал! Ты чего, Христофорыч?

— В том-то и дело, — задумчиво произнес Монах. — А говорил, атмосферная. Врал?

Глава 27
Ностальжи,
ностальжи...

Твои черты, твой смех, твой взор
Прекрасны, как пейзаж прекрасен,
Когда невозмутимо ясен
Весенний голубой простор.

Шарль Бодлер «Слишком веселой»

Ну что сказать...

Добродеев, как и обещал, заскочил прямо с утра к мэтру Рыдаеву и взял запись с Речицким и неизвестной девушкой.

Пока они ее смотрели, Добродеев только ахал завистливо; Монах смотрел молча.

— Снимаю шляпу, — сказал Добродеев. — Красивая девушка. И чего они все на него летят? И тогда, и сейчас!

— Мужик чувствуется... среди нашего унисекса, сам понимаешь. Как мэтр сказал: первопроходец, бретер, гасконец!

— Он не так сказал!

— Не важно. Имел в виду он именно это. И в спортзал, наверное, ходит.

— Пашка сказал, майор уже показывает ее фотки всем из круга Яника, может, кто узнает. Пока глухо.

— Тут трудно что-то разобрать... волосы красивые, фигурка...

— Бедная девочка, — заметил Добродеев.

— Бедная, — согласился Монах...

...Он снова сидел в парке у крайней пушки, как когда-то, в добрые старые времена. Тогда парк был пуст и покрыт снегом, сейчас — зелен и звонок от голосов. Он словно видел стоящую у парапета с видом на реку одинокую женскую фигуру; ветер теребит синий шарф.

Она смотрела на реку, и он понял, что она не подойдет. Передумала или испугалась. Он понял, что она сейчас уйдет, и поднялся.

Подошел.

Она шарахнулась испуганно, а он сказал: «Я ведь не полиция, не нужно бояться... *Кира*».

По телефону она, запнувшись, назвалась Кларой, и он понял, что она солгала.

— Откуда вы знаете, как меня зовут? — спросила она, тревожно заглядывая ему в глаза.

— Я немного ясновидящий, — ответил он. — Когда я вас увидел, я понял, что вас зовут Кира.

Он приучал ее к себе, говорил добродушным рокочущим басом, вкладывая в интонацию: «не бойся», «я не причиню тебе зла», «я свой».

Небольшая, с неспокойными темными глазами, с синим шелковым шарфом в несколько слоев на шее, в норковой шубке... Кира. Ее звали Кира.

Он вытащил ее из ямы, в которую она попала. Она ему нравилась...

Анжелика и Жорик так надеялись, а он сбежал.

Пока его не было, Кира вышла замуж за хорошего человека. Анжелика до сих пор простить ему не может...

Тогда была зима, снег и пустота, сейчас — конец августа.

Монах сидел в тихом парке, у крайней пушки и поджидал Киру.

«На старом месте, — сказал он. — Рядом с кафе. Помните? Вы любите мороженое?»

Она удивилась его звонку.

Он позвал: «Кира!», и почувствовал, как она затаила дыхание.

— Помните меня, Кира? — спросил он. — Можно позвать вас в парк, туда же? — спросил он. — Сегодня, в двенадцать. Пятая пушка, около кафе. Помните, как я выгляжу? Толстый, с бородой и косичкой. В белых штанах. Не промахнетесь.

Ему хотелось растормошить ее, он чувствовал, что она растеряна.

— Я приду, — сказала она.

Он вдруг вспомнил: время разбрасывать и время собирать...

«Какую жатву я собираю?» — спросил он себя.

Ведь не только фотки, это просто предлог, это так мало значит. Пришло его время собирать?

И вот он сидит на скамейке и ждет. У пятой пушки. Смотрит на далекую Троицу.

В парке тишина, ни ветерка. Пищат птицы в деревьях, на спортплощадке гомонят ребятишки. На аллеях солнечные пятна: свет, тень, свет, тень...

Он увидел ее издалека. Небольшая, в белом, на шее синий шарфик. С длинными черными волосами по плечам.

Он помнит, раньше они были короче.

Он встал ей навстречу.

Они смотрели друг на дружку.

Она сняла темные очки. Он увидел морщинки в уголках глаз, в уголках губ. Он вдруг прижал ее к себе, приподнял, поцеловал в макушку. Ее волосы пахли нежно и пряно. Кира вспыхнула, отступила. Он взял ее руку, поднес к губам.

У него мелькнула мысль: «Как удивился бы дамский угодник Добродеев, увидев его сейчас...»

— Как вы, Кира? — спросил Монах, с улыбкой глядя на нее.

— Хорошо. Почему вы с палкой, Олег? Это случилось в горах?

Монах хмыкнул:

— Я бы мог соврать, Кира, что в горах или при переходе по веревочному мосту через бурный поток... видели в кино?

Она кивнула.

— Но не буду принципиально, хотя мне очень хочется вам понравиться.

Кира улыбнулась:

— Так что же с вами случилось, Олег?

— Попал под машину. Банальное ДТП. Сижу дома уже год, никаких гор, никаких бурных потоков. Совершенно одичал.

— Машина цела? — спросила Кира.

Похоже, пришла в себя.

— После нашего столкновения машину отбросило к газетному киоску, в итоге вылетело лобовое стекло, и у водителя сотрясение мозга. А у меня сломана нога. Причем, дело было на зебре. Вы водите машину?

— Нет, — ответила она кратко.

Монах хотел спросить: «А муж?», но удержался.

— Как ваши друзья? — спросила Кира. — Жорика я не видела с тех пор, как ушла от вас, Анжелику иногда вижу в городе. Как-то раз даже пили кофе.

211

— Нормально. Добродеев тоже в порядке. Помните Лешу?

— Помню.

Они помолчали.

Кира спросила:

— Олег, что-то случилось?

— Вы спешите? Может, посидим где-нибудь? Тут недалеко кафе «Трапезная»... — Он смотрел вопросительно.

Кира кивнула, и они пошли в «Трапезную» — маленькое приятное кафе в полуподвальчике, через дорогу от парка, пустое в это время дня.

Они сели у витражного окна: желто-красный олень на синем фоне, а вокруг зеленые деревья. Красивая жизнерадостная картинка.

Лицо Киры в красноватом свете изменилось — исчезли морщинки, потемнели и стали бездонными глаза.

— Вино? Белое, красное? — спросил Монах.

Кира убрала руки на колени, и Монах подумал, она боится, что он возьмет ее за руку.

— Белое.

Им принесли вино. Два высоких бокала.

— Хотите пиццу? Или пирожное?

Она с улыбкой покачала головой.

Помедлила и спросила:

— Вы ловите убийцу Реброва?

Монах почесал под бородой, хмыкнул:

— Откуда вы знаете?

— Помню ваш сайт... «Бюро случайных находок», так, кажется? Вы написали, что вы психолог, математик, мыслитель и путешественник, и я подумала, что вы позер и хвастун. А еще вы сказали, что не бывает безвыходных ситуаций. Знаете, Олег, я позвонила вам тогда потому, что вы ничего не обещали, понимаете? Я подумала, этот человек не будет врать. Хоть и позер. Вы сказали, что попытаетесь помочь. А еще вы написали: «Запомните... Нет, зарубите себе на носу: жизнь всегда продолжается!» Видите, до сих пор помню. — Она помолчала и спросила: — Вы ловите убийцу Реброва, чем же я могу помочь?

— Вы его знали, Кира?

— Знала. Спасибо, что не спросили, знала ли я его девочек. Знала двух или трех. Похоже, мы были конкурентами. Мой «Черный фарфор» и его «Мисс города». Девочки по вызову...

Мужества ей было не занимать. Она бросилась в прошлое, как в омут с головой, не пытаясь делать вид, что не помнит...

— Что он был за человек?

Она пожала плечами:

— Если я скажу, что о мертвых ничего, кроме хорошего?

— Значит ли это, что сказать вам нечего?

— Ничего хорошего. Он был бессовестным человеком, он был обманщиком и предателем. Он обманывал тех, кто ему верил. Желающих поквитаться с ним было много. Он сбивал с пути молоденьких девочек. У него был конфликт с одним художником, он отказался ему заплатить. Это то, что я знаю. Меня всегда удивляло, что Володя Речицкий дружит с ним. Он был приятелем мужа, я его хорошо знаю. Он сложный человек, но в нем нет подлости. Говорят, его обвиняют в убийстве Реброва... Это правда? Как его убили? Ходят разные слухи...

— До конца неизвестно, убийство ли. Возможно, самоубийство. У него были перерезаны вены, он двое или трое суток пролежал в красной от крови воде...

Кира поежилась:

— Ужас! Что я могу сделать для вас, Олег?

Монах достал из большого конверта две фотографии, положил перед ней.

— Посмотрите, Кира, возможно, вы ее знаете.

Она взяла фотографии, присмотрелась. Подняла на него взгляд и покачала головой:

— Я никогда ее не видела. Это одна из его Мисс? Она подозреваемая? Неужели вы думаете, что женщина могла перерезать кому-то вены?

— А что могла бы сделать женщина?

Кира улыбнулась:

— Ударить сумочкой по голове.

— А что сделали бы вы?

— Я? — Она задумалась. — Ушла бы. Я бы просто ушла...

— Вы не помните, как звали того художника?

— Дима Щука. По-моему, его все знают. Он не только художник, но и интерьер-дизайнер, помогал нам обставить квартиру. Давно уже. Муж решил, что без дизайнера никак... Мы ему заплатили, честное слово!

Монах рассмеялся.

— Что он за человек?

— Добродушный пьяница. Водил нас за нос, забывал, что обещал прийти, привирал, но при этом был такой... добродушный! Все время смеялся, приносил мне цветы... Подарил картину, луг с цветами.

— Откуда вам известно о конфликте между ним и Ребровым? Когда это было?

— С полгода назад, я встретила его на площади, пьяного, плохо одетого, небритого. Он окликнул меня, а я его не узнала. Попросил денег на сигареты. Я пригласила его перекусить в «Пасту-басту», и он сказал, что Ребров... — она запнулась. — Ну, он много чего наговорил. Ребров разбил ему лицо, он пришел домой весь в крови. А потом заплакал. Это было ужасно!

— Что же он сказал?

Кира молчала, глядя в стол.

— Кира, помните, я сказал вам, что я не полиция?

— Он сказал, что убьет его, — сказал она после паузы. — Но вы же понимаете, что это ничего не значит! Когда мы пили кофе, Анжелика сказала, что когда-нибудь убьет Жорика за то, что разбрасывает одежду. Понимаете, о чем я?

— Понимаю, Кира.

...Они просидели в кафе около двух часов, болтая ни о чем. Вспоминали Жорика, Анжелику и Добродеева, еще странного малого Эрика, компьютерщика из «Зеленого листа», подобранного на пустом месте, который чуть не убил Монаха в спальне собственной бабушки. Про ската по кличке Нептун и золотых рыбок.

— Где теперь ваши золотые рыбки? — спросил Монах.

— Подарила соседскому мальчику. Эта страница моей жизни перевернута, Олег. — Что-то прозвучало в ее голосе, и Монах понял, что она говорит не о рыбках...

— Чем же вы сейчас занимаетесь?

215

— У нас маленький бизнес, семена, рассада, саженцы плодовых деревьев. У вас нет дачи? Продам со скидкой.

Он покачал головой, с улыбкой рассматривая ее лицо.

...Кира охотно смеялась; им принесли еще вина, потом еще. Им не хотелось расставаться.

Наконец Кира посмотрела на часы и сказала с сожалением:

— Мне пора, Олег...

Он стоял на тротуаре и смотрел вслед ее такси. Вздохнул раз, другой...

Жорик сказал бы: «Вздыхаешь, как больная лошадь».

Он вспомнил сдохшую кобылу Речицкого и ухмыльнулся.

Ну почему от трагедии до фарса почти ничего? Когда она попросила его о помощи...

Он снова вздохнул.

В те времена между поездками он квартировал у Жорика с Анжеликой. Делал уроки с девчонками, назидал хулигана, маленького Олежку, разрешая ему в качестве поощрения попрыгать на своем животе. В основном проводил время на диване с выпирающими пружинами.

Анжелика громко пела, шлялась по дому в затрапезном халате, распихивая ногами живность, трепалась по телефону с подружками и смотрела бесконечный сериал. А в перерывах приносила ему перекусить: то блинчики со сметаной, то котлетку. И стояла над душой, пока не съест. Не то чтобы он сильно сопротивлялся, но всякий раз, становясь на весы, он был неприятно удивлен результатом.

И тогда он спросил Киру, не может ли он временно переселиться к ней...

Она позволила, не посмела отказать, так как он был ее единственной надеждой.

Почти две недели он провел в очаровательной розовой комнате с манекеном в широкополой шляпе в углу. В тишине, в благодати.

Он помнит, как они ужинали... То есть ужинал в основном он, ел жареную картошку и котлеты, а она пила чай, и они разговаривали. Она покупала ему пиво, и он чувствовал себя альфонсом, потому что на тот момент сидел на мели. Он спросил себя, а не хотел бы он снова, вот так, долгими вечерами, неторопливо ужинать, а рядом она?

— Козел ты, Олежка, — сказал тогда Жорик.

Да и теперь повторяет время от времени. Такая женщина!

В самом дурном расположении духа возвращался Монах домой. Опирался на палку и хромал больше обычного. Он был недоволен собой, не умея ответить себе на вопрос: «Жалеешь, козел?»

Сожаления нахлынули лавиной...

Дома он улегся на диван и уставился в потолок. Он слышал ее голос и ее смех, он держал в своей ручище ее руку.

Она сказала, что у нее все хорошо, она смеялась и шутила, а глаза были печальными.

Он попытался вспомнить, что рассказывал о ее муже Жорик, но не вспомнил. Можно, конечно, расспросить Анжелику... А толку?

Увести ее, а что дальше? Ты уверен, что ты тот, кто ей нужен? Тип, вечно ищущий приключений на пятую точку? Ты уверен, что готов завести ребенка... если еще не поздно для них обоих? Катать колясочку по парку? Сказать прощай пампасам и горам? Готов? Только честно. Ну?

Ответа у него было...

Разгадка убийства Яника Реброва потеряла для него всякий смысл и отодвинулась куда-то очень далеко. Убийство Реброва, убийство Анфисы, убийство Марата...

«Не хочу», — сказал себе Монах и закрыл глаза...

Разбудил его звонок телефона. За окнами была уже ночь.

На экране высветились зловещие цифры: один, два и два ноля. Полночь! Время всякой нечисти.

Звонил журналист Добродеев.

— Ну? — недовольно сказал Монах в ответ на жизнерадостное: «Добрый вечер!»

— Я тебя не разбудил? — озаботился Добродеев.

Монах оставил вопрос без ответа.

— Послушай, Христофорыч, я тут подумал, как-то неудобно получается с майором... Ты был прав, надо сказать ему про Марата, сами они никогда не додумаются и не заметят. Образование не то. А как сказать, чтобы не спалиться? Я себе всю голову сломал.

— Охота тебе дурью маяться, — проворчал Монах. — Проще пареной репы.

— В смысле?

— Кто я по-твоему? — спросил Монах.

— Ты?

— Я! Кто я?

— В каком смысле?

— В эзотерическом! Я волхв, Лео, и ты прекрасно об этом знаешь. Волхв!

— И что? — спросил после паузы Добродеев.

— А то! Позвонишь майору и скажешь, что был мне вещий сон и видение, что истина спрятана среди картин. Если он не врубится, подбрось в огонь хворосту и скажи, что картина в третьем ряду справа дьяволом мечена. А настоящая запрятана в тайник.

— Ты думаешь? — В голосе Добродеева прозвучало сомнение.

— У тебя есть лучшее предложение? Ты тут вообще не при делах! Скажешь, что я просил передать, понял? Вали все на меня, *типа*, лично сам ты не веришь, но я очень переживаю и места себе не нахожу, и ты решился позвонить и передать весточку с того света.

— Думаешь, он поверит?

— Нет, конечно, он же не дурак! Но клюнет однозначно и побежит смотреть картины. И пусть докажет, что мы шарились в квартире жертвы. Мы были в перчатках. Звони прямо сейчас.

— Сейчас? А не поздно? Он давно спит, не хочется будить.

— А меня хотелось? Звони, Лео. В полночных звонках своя символика. Пусть помучается до утра, раздумывая, что бы это значило. И сразу перезвонишь, я хочу знать, как он отреагировал.

— Ага, ладно. Сейчас!

Монах снова улегся и закрыл глаза. Добродеев перезвонил через десять минут.

— Ну? — спросил Монах. — Как?

Добродеев хихикнул:

— Послал подальше! Сказал, что он тоже волхв и может привлечь других волхвов за хулиганство.

— Ага, хорошо. Клюнул. Молодец, Лео. До завтра.

Глава 28

Ночные бдения

Жизнь умерла кругом, но тайны воскресают,
Неуловимые, как легкий вздох ночной,
Они встают, плывут, трепещут, исчезают...

Поликсена Соловьева «Тайна смерти»

Ночь, конечно, пропала. Сна не было ни в одном глазу. Монах, чертыхаясь, поворочался с боку на бок, решительно поднялся и включил компьютер.

Побегал по новостям, наскоро заглянул в Фейсбук и зашел на сайт Марка Риттера. Полюбовался на оформление, красно-черное, какое-то... э-э-э... зловещее. Плюс готический шрифт. Прямо фэнтези тебе.

Погрузился в чтение. Текст сопровождался фотографиями, черно-белыми в основном, более поздние были цветными.

Благородный старец библейского вида — Марк Риттер за пару лет до кончины. Биография. Детские годы. Эмиграция. Пара детских фотографий. Родители. Отец — американец из Нью-Джерси, случайно залетевший в наши края, мать — наша женщина; семья выехала в Америку перед войной; название родного города художника переврано. Это может быть какой угодно город, включая ближнее зарубежье. Творчество. Юность. Мужание. Зрелость. Спокойная старость. Возвращение к истокам, детские воспоминания. Родные пейзажи. Река, роща, фонтан с большими скульптурными лягушками.

Монах помнит этих лягушек, сиживал на них неоднократно в раннем детстве. Лет двадцать назад их убрали и построили танцующий фонтан.

Оказывается, впервые они появились еще до войны. Потом город был разрушен, потом его отстроили и воссоздали лягушек.

«Не знал, — подумал Монах. — Надо сказать Леше, пусть напишет, он любит пощипать струны души своих читателей».

Урбанистические пейзажи, натюрморты, цветы, несколько портретов, не особенно удачных. Постимпрессионизм, модерн, кубизм...

Информация о музеях, купивших полотна Марка Риттера; распродажа наследия и цены.

Голубая женщина с оранжевыми кругами, продана четыре месяца назад за двести тысяч долларов. Покупатель предпочел остаться анонимным.

Знакомый уже пейзаж с рекой, зарослями ивы, остатки строения, увитого плющом. Возможно, маяк, река тут поворачивает. За почти сто лет она могла не раз поменять русло... Сорок тысяч. Тоже неплохо. Интересно, где это?

Монах оторвался от экрана и задумался.

Как читателю уже известно, у него с картинами свои счеты. Пробел в образовании.

Разглядывая полотна Марка Риттера, он спросил себя, а он смог бы нарисовать картину? Простенький пейзажик?

Над диваном Монаха висит картина цветущего луга, подарок знакомой девушки. Насколько она хороша, с точки зрения какого-нибудь искусствоведа, Монах не знает, но смотрит на нее с удовольствием.

Хотелось бы посмотреть на остатки строения с картины Риттера, просто из любопытства.

Надо же, ребенок, а запомнил. Если Ондрик раззвонил всему городу, что купил «Женщину» за двести, что подтверждает информация на сайте, то теперь он продаст картину за двести пятьдесят, а то и за больше. Сколько же это он на ней наварит?

Фотограф Иван Денисенко сказал, что картина — дерьмо. Тоже интересная личность, фотовыставка свалок и мусора... И ведь находятся желающие на это смотреть.

Монах ухмыльнулся.

Яник Ребров тоже сказал, что дерьмо...

Господи, упокой его душу.

Лично ему, Монаху, тоже кажется, что дерьмо. Хотя он не спец в этом деле. То есть пейзаж ничего, конечно.

Интересно, когда похороны? Надо бы поприсутствовать, в лучших традициях классического детектива. Убийца, устроивший подобное шоу, личность творческая, с огоньком, а вдруг выкинет что-нибудь на кладбище? Принесет шампанское, устроит танцы или постреляет петардами...

Майор, конечно, не обрадуется, опять получил фитиля...

Монах снова ухмыльнулся.

Вместо того чтобы сказать: «Спасибо, братцы, выручили, теперь мы точно знаем, что не самоубийство», — начнет орать, что путаются под ногами и только мешают.

Нет, про «мешают» у него язык не повернется... хотя, с майором никогда не знаешь. Вот зачем притворяться, что у тебя нет чувства юмора?

Монах задумался, а есть ли на свете люди без чувства юмора?

...Он опомнился, когда за окном уже наступило утро. Поколебался, сделать ли кофе или прилечь на минутку, выпрямить спину?

Выбрал второе, упал на диван и уснул сном праведника. И снился ему сон...

Обычно Монах не помнит снов, даже вещих, что позволяет ему утверждать, что он их видит. Ведь, если не помнишь, можно сказать, что снилось что угодно.

Снился ему гот с ирокезом, весь в черном, с серебряной цепью на груди. Он стоял перед холстом, в руке его была кисть. Он писал картину. Отпрыгивал назад, приближался, откидывал голову и щурился. Потом принимался ляпать кистью по холсту, пачкая его черной краской.

На картине смутно проступала фигура человека в странной позе — вздернутые выше головы ноги, разбросанные руки. На голову его был надет красный шутовской колпак — единственное яркое пятно на картине. Художник прыгал вокруг картины, словно танцевал. Монах наблюдал сцену откуда-то сбоку. Вдруг гот повернулся к нему, осклабился в мерзкой улыбке и подмигнул.

Это было до того неприятно, что Монах проснулся с испариной на спине. У этого типа была физиономия Черного властелина Эрика. Того, кто чуть не убил Монаха в спальне собственной бабушки.

Чтобы прогнать остатки сонной одури, Монах принял душ и сварил кофе. Поставил чашку на письменный стол и погрузился в Сеть.

Личной странички у Димы Щуки не было. На сайте галереи Артура Ондрика «Ветка падуба» его тоже не было. Его нигде не было.

Не стоит внимания?

Монах всерьез заинтересовался спившимся художником, которому Ребров разбил лицо и не заплатил. Творческая личность, ненавидевшая Реброва и, несомненно, знавшая картину «Смерть Марата».

Монах верил в знаки. То есть как верил... Не то чтобы верил... Скорее, полагался на совпадения, которые работают знаками.

Имя художника всплыло как-то удивительно кстати, а потому неплохо бы познакомиться с ним поближе.

В полдень позвонил Добродеев и сообщил восторженно, что Речицкого выпустили из тюрьмы, и теперь он и Рыдаев приглашают их обоих в «Белую сову» на ленч.

— Встречаемся в два, просьба не опаздывать, потому что Володя немедленно убывает в свою конюшню, не хочет досужего любопытства и не хочет никого видеть, кроме нас.

— Буду, — кратко ответил Монах, испытывавший странную пустоту в желудке и как раз вспоминавший, что есть в холодильнике.

Ничего интересного там не было, кроме пары бутылок пива и коробочки сардин. А в «Белой сове» прекрасная кухня. Везет, однако.

Мэтр Рыдаев был доволен, что бросалось в глаза. Речицкий был сосредоточен и молчалив.

— Лосось под белым соусом, очень рекомендую! — сказал мэтр. — И шардоне. Отметим успех в узком кругу, так сказать. Дело развалилось, они ничего не смогли доказать. Мне сказали, что будут копать дальше, вызывают на допрос всех знакомых дам Реброва, показывают фотографии, выспрашивают об интимных услугах... Пытаются выяснить, кто мог хотеть смерти Анфисы. Перетряхивают ее подруг и коллег. Зацепили даже парочку предпринимателей. Словом, скандалец назревает приличный. Надеюсь, на нас они ничего не накопают. Но даже если накопают, доказательная база ничтожна. На записи отсутствует главное, и мы легко отобьемся. Хуже, что история с записью просочилась наружу, и пошли гулять слухи про подпольный притон и убийства. Сюда приплетают убийства Реброва и Анфисы. Говорят, что Реброва убила Анфиса из ревности. Словом, на публику вытряхиваются тонны грязного белья. Замешаны уважаемые граждане. Но ДНК в квартире Реброва не ее, к сожалению. Вся эта возня — ничего, это не страшно. Очередной мыльный пузырь, неделя-другая, и он сдуется. А Володя пока посидит с лошадками, успокоится и придет в себя.

— Кажется, у Анфисы ребенок, — сказал Добродеев. — Что с ним?

— У нее девочка четырех лет. С мужем они развелись два года назад. Ребенок теперь у него. Кстати, — вспомнил мэтр, — повторный анализ крови Реброва выявил слабое наличие какого-то токсина. Более того, судмед предполагает, что Ребров умер еще до вскрытия вен в результате большого количества виски и неустановленного препарата. Вены ему порезали, когда он был уже мертв. Возникает вопрос: зачем?

— Мы с Христофорычем уже это обсуждали, — солидно сообщил Добродеев. — Убийце нужно было яркое шоу. Кроме того... — Добродеев собирался рассказать про картину, найденную в квартире у Реброва, но внезапно замолчал и сделал вид, что закашлялся. Незаметно потер колено, которое пнул Монах.

— Кроме того, — подхватил Монах, — мы побывали по адресу Космонавтов, три и познакомились с жильцами. Они купили квартиру четыре года назад у соседа-моряка, тот вспомнил, что мама действительно пустила в свою квартиру жиличку, студентку, кажется, ее звали Ляля, а сама переселилась к сыну этажом выше. Девушка внезапно уехала, даже не попрощавшись, а деньги оставила на столе.

— Я думаю, майор тоже доберется до квартиры, ничего страшного, — сказал мэтр Рыдаев. — Сцены убийства нет! Ее просто не существует. А это главная улика.

Речицкий шевельнулся, и Рыдаев сказал поспешно:

— Хватит о делах, господа! Позвольте поднять этот бокал за успех! Жизнь продолжается.

Они выпили.

— Прекрасная рыба! — с энтузиазмом воскликнул мэтр Рыдаев. — Никто не готовит лосося лучше. Я предлагал Володе купить ресторанчик и переманить их шеф-повара. А какая у них баранина! В следующий раз закажем баранину с овощами. «Прадо» славится своей кухней, особенно тушенной в красном вине бараниной, но здесь, доложу вам, ничуть не хуже.

Речицкий молчал. Молчали Монах и Добродеев. Мэтр Рыдаев старался за четверых, было видно, что ему хочется расшевелить Речицкого, хранящего каменное молчание.

Добродеев стал расспрашивать о баранине, хотя терпеть ее не мог. Ему также хотелось развеять тяжкую атмосферу собрания.

— Мне попалась картина некоего Димы Щуки, совершенно случайно, — вдруг сказал Монах. Ему хотелось узнать побольше о художнике-неудачнике, и он рассудил, что от его вранья никому не будет ни холодно, ни жарко. — Очень недурной пейзажик. Знакомы с ним?

— Я его помню, — сказал Речицкий хрипло. — Художник-оформитель.

— Мне рассказали, что Ребров подрался с ним. Я не поверил, Ребров производил впечатление приятного и интеллигентного человека, не думаю, что он мог побить кому-нибудь морду...

Добродеев удивленно взглянул на Монаха.

— Они не подрались, Яник его ударил, — сказал Речицкий. — Он готовил выпускной бал для школ города, нанял Диму, а тот на несколько дней ушел в запой. А потом посмел потребовать деньги. Помню я эту историю.

— Он ему не заплатил? — спросил Монах. — За проделанную работу?

— Нет.

Речицкий вдруг поднялся и сказал, что ему пора и всем спасибо, он очень признателен.

Это было неожиданно. Он не подал никому руки и стремительно удалился.

— Видали? — воскликнул Рыдаев. — Ему ничего не в радость. Да одно только то, что он будет ночевать дома, а не в этом клоповнике... Чем дольше живу на свете, тем чаще прихожу к мысли, господа, что все эти ваши угрызения совести, раскаяния, ожидание кары небес за содеянное не что иное, как игры разума. Не факт важен, а то, как мы его воспринимаем. Я многих навидался, поверьте. Негодяй чистейшей воды, сволочь последняя, отцеубийца, а бежит по жизни вприпрыжку, радуется, срывает цветы удовольствий, как говорится. А Володя сломался, все время думает об этой девице. — Он помолчал. Потом сказал: — Вы, наверное, думаете, что я заливаю, восемь лет не вспоминал, пил, ел, спал, радовался жизни, а тут вдруг сломался, так? Знаете, на

Востоке говорят, перышко сломало спину верблюда. Последнее перышко, господа. Эта барышня, возникшая из небытия, и оказалась таким перышком.

Они помолчали.

— Кстати, еще об Анфисе. Вообще-то она Анна, Анфисой ее назвал Ребров. Развод был очень грязный, и потом она не позволяла мужу видеться с ребенком. Сейчас девочка с ним. Он снова женат, они ждут ребенка. Я встречался с ним пару раз, он хотел, чтобы я помог ему вырвать у нее дочку. Я уговорил его решить дело миром и посодействовал. Она стала разрешать ему видеться с девочкой. Война всегда плохо, на то и адвокаты, чтобы ее избежать. Анфиса была редкая красотка, но и редкая стерва. Какой-то рок, честное слово! Оба ушли почти единовременно. Я не уверен, что их убийства связаны, пытался вызвать на разговор майора Мельника, но вы же его знаете... Возможно, просто совпадение. Скорее всего, совпадение. Ребров мне никогда не нравился, он был бессовестным и циничным типом, доил Володю, а тот ему никогда не отказывал. Причем не только потому, что Ребров убрал труп, раньше тоже. Когда с кем-либо случается неприятность, подобная той, какая случилась с Ребровым... — Монах и Добродеев переглянулись, и Монах ухмыльнулся, — ... знакомые и друзья тут же начинают вспоминать всякие казусы, связанные с покойным. До меня дошла следующая история. Оцените сами, господа. Хоть и говорят, «аут бене, аут нихиль», да против правды не попрешь. Лет пять назад Ребров пытался приударить за молодой женщиной, участницей вокального конкурса. Она не ответила взаимностью, в отличие от многих. Ее всюду сопровождал здоровенный качок, ее парень, и Ребров сказал ему, что переспал с ней. Парень набил ему морду, но молодые люди после этого расстались. — Мэтр помолчал. — Есть мужчины, которые способны обсуждать свои отношения с дамой публично, а Ребров пошел дальше: он готов был обсуждать публично то, чего не было. Грешно так говорить, господа, но мне его не жалко, он получил свое. Мы все циники, разумеется, но не до такой же степени.

— Когда похороны? — спросил Монах.

— Как только они разрешат забрать тело. Вопрос двух-трех дней, я думаю. Платит, конечно, Володя. Последнее «прости» усопшему другу, так сказать. Насчет Анфисы не знаю, не в курсе. На время убийства у моего подзащитного твердое алиби, поэтому она интересует меня постольку-поскольку. Но допускаю, что Володя возьмет на себя и это...

* * *

У майора Мельника голова шла кругом от этого чертова дела, а тут еще эти двое с картиной «Смерть Марата». Высмотрели, паршивцы. Да кто к ним присматривался, к этим картинам?! Тем более в углу за деревом.

Убийца принес с собой картину этого самого Марата в ванне, а вместо его лица наклеил фотографию Реброва. Прямо признание! Признание? Куда там! Похоже, это последняя дурацкая выходка покойного.

Криминалисты нашли в квартире Реброва альбом французской живописи, из которого был вырезан постер. Везде пальчики хозяина. Даже ножницы нашли, которыми вырезали картинку.

Получается, он вырезал картинку, приклеил свою собственную физиономию, вставил в раму другой картины, а ту сунул за диван. Везде отпечатки Реброва.

Что за странный финт? Шутка? Шутник... Или запрограммировал собственную кончину? Рассказал, что собирается сделать? Только не признался, что глотнет яду.

Кстати, никаких следов посуды или упаковки, где содержалась отрава, в его квартире не выявили.

Как прикажете это понимать? Здоровый, без тайных хворей, успешный... Самоубийство? А кровь женщины в прихожей?

«Может, ошибочка с анализом?» — думал майор, прекрасно понимая, что никакая не ошибочка, и все-таки убийство, а Марат — дурацкая шутка жертвы, которая пришлась в масть, а убийца о ней ни сном, ни духом?

Шутка над кем? Над собой? Или все-таки самоубийство? Бред.

В голове майора не укладывалось, что здоровый психически человек мог устроить...

А с другой стороны, он этим кормился. Всякие конкурсы, фестивали, карнавалы... зрелища, одним словом. Вот и устроил напоследок... фейерверк из собственной кончины.

Стоп! А может, псих?

...Майор склонялся к мысли, что Ребров был убит. А французская картина просто нелепое совпадение. С кем-то Ребров перегнул палку, не соотнес сил, убийца его переиграл. Дошутился, затейник.

Его многие ненавидели — от брошенных девиц до рогатых мужей, а возможно, и кто-то из тех, кого он шантажировал. Это была казнь.

«Прямо детективный роман», — подумал майор.

А эти двое клоунов? Как они узнали? Вещие сны они видят! Жулики! Как? Разве не ясно? Незаконно вломились в квартиру Реброва...

Ну, вы доиграетесь у меня! Но хоть поделились. И что придумали, фантазеры! Видение было, вещий сон, надо, мол, прошерстить все картины.

Убийца пришел к Реброву домой, он его впустил, так как совершенно не опасался, недооценил опасности... Вернее, вовсе не видел.

Убийца — человек, не вызывающий опасений. Слабый, слюнтяй и трус. Пришел договариваться, выбросил белый флаг, сдался. Именно так и воспринял его приход Ребров. А тот подсыпал ему отравы, причем, черт знает, что за отрава. Какой-то токсин, волчьи ягоды, наперстянка... Нет, это наши, а то, что убило Реброва, не наше, импорт.

Чем же Ребров его достал, да так, что слюнтяй и трус, загнанный в угол, нанес удар? И обставил как шоу, не поленился.

Психологи говорят, убийцы после убийства испытывают чувство вины, они накрывают жертву, чтобы не видеть ее лица...

Это спорно, конечно, майор в это не верит. Но вот с тем, что убийца стремится убраться с места преступления как можно быстрее, не поспоришь.

А убийца Реброва оставался в квартире около часа, и это по самым скромным подсчетам. Чтобы такое сотворить, нужно очень ненавидеть.

Интересно, что испытывал убийца? Торжество? Облегчение? Или тупо таскался с трупом, ни о чем не думая, следуя заранее обдуманному плану? Вскрыл вены... и не страшно было?

Криминалисты говорят, если бы Ребров был жив, крови было бы больше. Но и так хватило... вот уж кровавая баня! Смерть этого... Марата! Картина не такая уж, чтобы прямо все знали. Он, майор, например, не знал.

А откуда о ней узнал убийца? Почему повторил сцену смерти этого Марата?

Непонятно.

Псих? Плюс что-то глубоко личное. Бунт маленького человека.

А кровь, принадлежащая женщине?

Майор было подумал, что кровь старая, мало ли, какая-то из подруг Реброва в свое время порезалась, но оказалось, что кровь свежая.

Значит, их было двое? Оскорбленных и униженных? И они же разобрались с подругой Реброва? Если была женщина, то мотив — ревность, уж это майор знал из своего опыта. Они все еще опрашивают друзей и знакомых, и те вываливают много интересного, но все пустышки, мелочовка, на уровне сплетен и слухов.

Идиотское дело...

Глава 29

Раскат грома

— Лео, меня все больше интересует персонаж по имени Дима Щука, — сказал Монах Добродееву, когда они не торопясь возвращались домой после ленча.

Добродеев провожал Монаха. Время от времени они садились на лавочку отдохнуть. Монах вытягивал больную ногу и прислонял к спинке трость.

— Пьяница-неудачник, несостоявшийся художник,

избитый Ребровым. Художник, Лео! Личность творческая, с огоньком. Кстати, с удовольствием взглянул бы на его картины, хотя картины не люблю в принципе, они оставили после себя тяжелую память. Ты хорошо его знаешь?

— Не очень. Брал интервью во время выставки местных талантов лет пять назад. После закрытия отвез домой, он уснул там просто на диванчике, пришлось будить.

— Там подавали спиртное?

— Только шампанское. Он пришел уже на взводе. Я спросил его о творческих планах, и он сказал, что он единственный художник на этом жалком сборище. Не настоящий, как они себя называют, а просто художник. Рафаэль и Леонардо были не *настоящими* художниками, а просто художниками. Сказал, что может потягаться с именитыми, пишет в любом жанре. Не пачкает, как эти все, а пишет.

— Ты же говорил, что он безобидный, — напомнил Монах. — А он боец, получается.

— Я даже не ожидал. Может, по пьяни. Ивана Денисенко по пьяни тоже прилично заносит, возьми его свалки. Такое на трезвую голову не выдумаешь. Наша гордость Виталя Щанский выкрасился в синий цвет и бегал по площади в трусах. Прекрасный художник, между прочим. Ты далек от людей искусства, Христофорыч, они другие...

— Далек! — фыркнул Монах. — А вот скажи мне, Лео, как человек, близкий ко всяким кругам, это — внутренняя потребность, ви́дение, как говорят о всяких дурацких выходках живьем или на холсте, или чистой воды пиар? Вот не дайте ему выкраситься в синий цвет, и он впадет в депрессию и пойдет кидаться с моста? Ты тоже человек творческий, Лео, почему ты не бегаешь по площади в трусах?

— Я вламываюсь в чужие квартиры, — сказал Добродеев. — Виталик Щанский не полез бы, а я лезу, а это похлеще, чем по площади в трусах. У всех свои тараканы, Христофорыч. Думаешь, у тебя их нет?

— Ты прав, Лео, беру свои слова обратно, — сказал Монах после паузы. — Чудачества украшают жизнь, и выяснять, чьи заковыристее, пустой номер. Правда, наши — во имя истины и света, а не на публику. Обещаю, что когда-нибудь я выкрашусь в синий цвет. Ты помнишь, где живет этот Щука?

— Помню. Около Еловицы. У него собственный дом.

— Ого! Он домовладелец?

— Дом доброго слова не стоит. Лет шесть назад он развелся и оставил супруге квартиру в центре. Хочешь, съездим к нему?

— Хочу! Надо посмотреть на него, вдруг торкнет внутри, и я пойму, что это, возможно, наш человек. В смысле, убийца. У меня нюх, Лео, я вижу нутро человека. А если окажется, что его бабка была ведьмой и научила его разбираться в травах, и не-иден-ти-фи-циро-ванный — тьфу, словечко! — токсин в крови Реброва какая-нибудь пижма или аконит полевой, то мои подозрения перерастут в уверенность. Как насчет завтра с утра?

— Можно, — сказал, немного подумав, Добродеев.

— Кроме того, у нас прорва работы по девушке Речицкого, Лео. Сейчас у нас есть ее фото, можно пройтись по учебным заведениям, поспрашивать, может, кто вспомнит. Нам нужно ее имя. Кроме того, мы как-то выпустили из виду Анфису, надо бы встретиться с ее подружкой Одри, помнишь, рыженькая такая? Приятная девочка. Рыдаев считает, что эти убийства не связаны, я бы не был так категоричен. Что думает майор Мельник, нам неизвестно. Кстати, он не звонил? Интересно, они нашли Марата?

— Позвонить?

— Пока не надо. Пусть переварит наше вмешательство и успокоится.

У дома Монаха они распрощались, уговорившись встретиться завтра в десять, и Добродеев, не торопясь, пошел со двора, а Монах поднялся к себе.

Послонялся по квартире, напился кофе, постоял на балконе, любуясь вечерним городом в огнях и последними сполохами заката. Вздохнул привычно, вспомнив про пампасы и проклятую ногу. Сел за письменный стол и принялся записывать план действий.

В плане было всего несколько строк: «добить» девушку Речицкого — раз; встретиться с Одри, в скобках (без Добродеева), показать фотку Ляли, — а вдруг она ее знает, вращались в одних кругах как-никак, и заодно расспросить про Анфису — два. Посмотреть на Диму Щуку — три. Пока все.

Дмитрий Щука... Или лучше Димитрий. Димитрий Щука. Как звучит, а? Художник, пьяница, бузотер. Добродеев сказал о нем что-то... что? Или это был Иван Денисенко?

Монах задумался. Он, Монах, сначала не врубился, потом сообразил, но отвлекся и тут же забыл.

Что же было сказано? Пришел на выставку пьяный, добрал шампанским, всех обругал, но не дрался. Хвастался. Потом уснул на диване.

Что же это было? И к Ондрику пришел... полюбоваться «Голубой женщиной»?

Полюбовался, что называется. Со скандалом и битьем посуды.

Интересно, что он сказал бы про Марка Риттера? Назвал бы мазилой? Однозначно.

Ладно, прервал себя Монах, так можно додуматься до чего угодно. Нужна информация. А ее нет.

Значит, работаем с тем, что есть, и проникаем в суть, возможно, не до конца осмысленную.

Он достал из стола флешку, переданную мэтром Рыдаевым.

Ему казалось, он знает запись на память, все девять минут. Если камера записывала всю ночь, скажем, с двенадцати до прихода Реброва, то это несколько часов.

Видимо, Ребров сделал копию с оригинала, выбросив длинноты, когда ничего не происходило, оставив самый смак.

Монах смотрел видео уже в который раз. Красивая девушка! Изящная, стремительная, гибкая... Длинные светлые волосы, смеется, запрокинув голову; отталкивает Речицкого, он в ответ бьет ее по лицу. Сволочь! Хватает ее, она отбивается. Подонок! Провал. Дальше он целует ей руки и просит прощения. Помирились. Все равно подонок!

Запись плохая, Речицкий узнаваем, потому что они его знают. Его лицо, полное ужаса; он мечется, собирая вещи. Она лежит, разбросав руки, полуприкрытая простыней, зловещие черные пятна на белом... Жаль, нет сцены убийства, не повезло. Других сцен, возможно, тоже нет, но они не суть важны. А тут дефект на самом интересном...

...Монах уснул около трех утра, а в восемь его разбудил звонок Добродеева.

— Я еще сплю, Лео, иди к черту! — прорычал Монах. — Мы договаривались на десять!

— Христофорыч, у нас новое убийство! — прокричал Добродеев. — Я в редакции, смотрю криминальные сводки! Вчера!

— Кто? — Монах мгновенно проснулся. — Ну!

— Кирилл Юшкевич!

— Кирилл Юшкевич? — с недоумением повторил Монах. — А он тут каким боком? Как?

— Их сбила машина, они возвращались из театра...

— Они?! Что с Ларой? — перебил Монах. — Она жива?

— Жива, но не пришла в себя. В коме.

— К ней можно?

— Ну-у... — протянул Добродеев. — Нет, наверное.

— Понятно! Одеваюсь! Заедешь через двадцать минут!

...Он сидел у ее кровати, держал ее руку в своих, всматривался в бескровное лицо. На тумбочке стоял ящик с экраном, где мигали зеленые огоньки; в вене торчала зафиксированная игла капельницы.

Добродеев стоял у двери, прислушиваясь к шагам в коридоре. Монах рассматривал ее исцарапанные в синяках руки, короткие ногти, покрытые бледно-розовым лаком, вспоминал, как впервые увидел ее на вернисаже у Ондрика, ее синее платье и серебристый лак на длинных ногтях... говорят, их теперь наращивают.

Лезут же глупости в голову!

Он закрыл глаза и, не выпуская руки Лары, стал тихонько раскачиваться и едва слышно гудеть.

Добродеев только глаза закатил: опять Монах взялся за свои шаманьи штучки! Не хотелось бы, чтобы их застукали во время сеанса, мало того что проскользнули без спроса, так еще и черная магия.

— Христофорыч, нам пора, — прошипел Добродеев. — Завтра придем опять. Пошли!

Монах словно не слышал: раскачивался и гудел. Добродеев от нетерпения взмок.

Монах внезапно замер. Посидел неподвижно с закрытыми глазами и спросил, повернувшись к Добродееву:

— Ты что-то сказал?

— Нам пора, Христофорыч.

Монах поднялся...

...Они сидели у Митрича, и тот уже нагружал свою дребезжащую тележку.

Монах был насуплен, Добродеев пытался достучаться до него и лез с вопросами.

— Ну что, будет жить? — спросил уже в который раз.

— Если захочет, — туманно ответил Монах.

— В смысле?

— Она неблагополучный человек, Леша, депрессивный.

— Ты уверен? Молодая, красивая, богатая, откуда депрессия? Кирилл ее очень любил, это бросалось в глаза. Сейчас ей, бедняге, придется туго. Не повезло им у нас, лучше бы они сюда не переезжали. Он спас ей жизнь, если бы он ее не оттолкнул, погибли бы оба. Прямо античная трагедия! Герой погибает, спасая любимую. — Он помолчал. Монах тоже молчал. —

У нее сильный ушиб головы, я говорил с врачом, они не знают, когда она очнется.

— Как это случилось? Машина выскочила на тротуар?

— Ага, прямо на тротуар. В полиции предполагают, что наезд был намеренный. Скорее всего, бизнес-разборки. Говорят, он прилично задолжал, его попросили вернуть долг, а он попросту сбежал.

— Почему пытались убить обоих?

— Христофорыч, это типичная омерта, закон мафии! Убивают всю семью, чтобы другим неповадно было, видел в кино?

— Нелогично. Если убью обоих, с кого стребуют долг?

Добродеев не успел ответить, так как приехал Митрич с бокалами пива и фирменными бутербродами с колбасой и маринованным огурчиком.

— Ребята, вы, конечно, в курсе, — начал Митрич, споро разгружая тележку. — Новые убийства! Что у нас творится? Конвейер убийств, страшно из дому выйти, какой-то фильм ужасов. Мамочка уже две недели сидит дома, общается со своими девочками только по скайпу и по телефону.

— А что она говорит? — спросил с любопытством Монах.

— Что у нас орудует банда залетных преступников и убийц. Сначала Яника Реброва убили и ограбили, потом его девушку. Потому что она что-то знала, а, может, была наводчицей. А теперь приезжего миллионера, который силком выкупил у Речицкого пивзавод, и его жену.

— Жена миллионера жива, — заметил Монах. — У Речицкого, надеюсь, есть алиби.

— Он вчера убыл в свою конюшню в Сиднев, — напомнил Добродеев. — Наверное, есть.

— Слава богу! — воскликнул Митрич. — Бедная женщина, надеюсь, она поправится. Надо сказать мамочке, а то она думает, что ее тоже убили. А вы в курсе, что у Речицкого лошади дохнут? Мамочка считает, они тут все замешаны! А вы уже что-нибудь нашли?

— Мало исходных данных, Митрич. Майор нас и близко к следствию не подпускает, убийства резонансные, не хотят преждевременной утечки, — сказал Добродеев. — Хотя весь город и так в курсе. Пробавляемся мелочовкой, кто что скажет... вроде твоей мамочки.

— Ага, ну да, понятно. Мамочка всегда в курсе, говорит, что-то страшное на подходе, это еще не все! Мне даже думать не хочется, они все у меня висят с автографами: Володя Речицкий, Артур Ондрик, Яник с девочками... Он их часто приводил! Такие красотки, не передать! Веселые, смеялись много. Анфиса, его последняя, похожа на одну артистку, не помню, как зовут. Бедная... — Он вздохнул. — Приятного аппетита, ребята. Если что, зовите. Я на посту.

— Я бы на месте Лары продал бизнес, — сказал Добродеев. — Если она выживет. Рыдаев поможет в случае чего. Может, Речицкий выкупит его обратно, тем более лошади дохнут.

— Она выживет, Лео. Организм выживет, а вот дух... не знаю.

— Это ты мне как волхв? А что ты с ней делал? Это какой-то ритуал?

— Древние восточные практики, передача праны. Называется «Вдыхание жизни».

— Ты сказал, она депрессивная... я не заметил. Спокойная, домашняя, нисколько не депрессивная, с чего ты взял? Они что, плохо жили?

Монах пожал плечами и не ответил.

— Кирилл спас ей жизнь. Как бы они ни жили, он спас ей жизнь...

Монах снова пожал плечами и сказал неопределенно:

— Если метили в него...

— Ты хочешь сказать, если метили в него, то он виноват? А она невинная жертва? Значит, то, что он ее спас, ему зачтется... где-то там. — Добродеев поднял глаза к горе.

Монах не ответил. Был он подавлен и мрачен.

Затрепетал айфон Добродеева, тот схватил его и закричал:

— Алло! Ленчик? Что?

Ленчик был помощником Добродеева.

Монах поднялся и пошел посмотреть на коллекцию фотографий. Там была большая и красивая фотка их обоих с Митричем. Они на флангах, сияющий Митрич с полотенцем через плечо в центре.

Он нашел их всех: Речицкого, Реброва с девочками, Ондрика; стоял, рассматривал и думал о бренности жизни. Вернулся за столик, еще более подавленный и мрачный.

— Это Ленчик, я ему сто раз... — начал было Добродеев, но осекся и спросил: — Ты чего, Христофорыч?

Монах не ответил.

— Что с тобой?

— Устал чего-то, нога разболелась...

— И только?

— Смысла нет, Леша.

— В чем нет смысла?

— Ни в чем. Какой может быть смысл, если миром правит случай?

— Может, смотаемся к Диме Щуке? — спросил Добродеев после паузы, знавший, что иногда доискиваться смысла в словесах Монаха пустой номер.

Он часто думал, что восприятие реальности у них настолько разное, что они никогда полностью не совпадут. К счастью, несовпадения случались редко.

Как говорит майор Мельник: «Опять твой волхв заговаривается».

У каждого свои недостатки и свои достоинства. Принять и не судить, и главное, не пытаться исправить. При всей своей бурлящей энергии, нетерпеливости и скачкам Добродеев был полон эмпатии и умел видеть и замечать мелочи, а бурление, крики и размахивание руками часто было дымовой завесой.

— Не сегодня, Леша.

— Это из-за Лары? Надо позвонить майору, может, выдаст что-нибудь, может, они их уже задержали. Кстати, я составил список учебных заведений, где она могла учиться, ты прав, надо походить и показать ее фотку.

— Позвони. Заодно спроси насчет «Смерти Марата», что они сумели выяснить. А вообще, странно... — Монах замолчал и задумался.

— Что?

— Как это все связано, Леша. Связь между убийствами.

— Ты думаешь, убийства связаны? Какие?

— Все три убийства, Леша. Возможно, четыре. Та старая история... То, что всплыло убийство той девушки именно сейчас, не случайно.

— Христофорыч, а она-то тут при чем? Мы даже не знаем, как ее звали. Мы вообще ничего о ней не знаем. Ребров и Анфиса, ладно, готов согласиться, может, и связаны. Но Кирилл? Это вообще его разборки, Кирилл пришлый, они здесь чужаки. Просто имеет место роковое стечение обстоятельств. Убийства случаются, мы зачастую ничего о них не знаем, а сейчас жертвами оказались наши знакомые.

— То, что звенья разорваны, не исключает, что они одной цепи, Лео. Варево вскипело и полилось через край. Пришло время, и покров тайны приподнялся.

«Ну вот, снова заговаривается», — было написано на озабоченном лице Добродеева.

— О чем ты, Христофорыч? Какой покров поднялся? Мы же ничего не знаем! Только и сумели выявить Марата. А толку?

Монах вдруг поднялся из-за стола и пошел прочь.

— Христофорыч, ты куда? — опешил Добродеев. — А пиво? Подожди, я с тобой! — Он вскочил и поспешил за Монахом.

Митрич с удивлением смотрел им вслед.

— В чем дело? — вопросил Добродеев, нагоняя Монаха на улице. — Куда ты собрался?

— В галерею Ондрика, — сказал Монах.

— Куда?! — поразился Добродеев. — На хрен тебе галерея?

— Хочу увидеть «Голубую женщину», Лео. Еще раз. — Это прозвучало так зловеще, как если бы Монах сказал: «В последний раз!»

Опешивший Добродеев испытующе смотрел на Монаха.

У него мелькнула мысль, что тот после сеанса вдувания жизни слегка повредился головой. Покров тайны, отсутствие смысла, разорванные цепи... Жизнь в дацанах, дружба с ламами, ритуалы и всякие штучки, когда целитель с помощью психической энергии ставит пациента на ноги, а сам теряет силы и едет крышей. Знаем, читали. А в результате появляются всякие фантазии. Сейчас бы не в галерею, а домой, на диван да чайку с ромашкой...

Почти вся дорога до галереи прошла в молчании.

Добродеев пытался разговорить Монаха, но тот уперто молчал, что наполнило журналиста самыми дурными предчувствиями.

Добродеев душевно поздоровался с дамой-смотрительницей, они даже расцеловались.

Монах кивнул сдержанно, подошел к картинам Марка Риттера и замер.

И что бы это значило? Голубизна символизирует дух, женское начало, основу чего-то там, то-то Монах так уставился — прямо впитывает! Восполняет утраченную энергию, эту... как ее? Прану.

Из подсобных глубин появился Артур Ондрик. Добродеев и с ним расцеловался. Монах же его не заметил вовсе.

Добродееву было неудобно, и он подмигнул Ондрику: не обращай внимания, мол, на него находит.

— Любуетесь моей женщиной? — спросил хозяин. — Знаете, многие приходят взглянуть еще раз. Берет за душу, правда? Кирилл Юшкевич просил продать... Дикая история с этим наездом! Еще одна не-

лепая смерть... может, две. Лара в очень плохом состоянии.

— Мы только что от нее, — сообщил Добродеев.

— Как она?

— В коме. Врачи ничего не знают...

— Говорят, это бизнес-разборки, это не наши, а приезжие. Юшкевич задолжал серьезным людям, это ре-
зультат. Если честно, мне он показался несколько лег-
комысленным. Как может человек с такими долгами
торговать картину за двести тысяч? Хорошо, что я отказал... мало ли.

— У вас нет картин Щуки? — Монах повернулся к Ондрику.

— Кого?

— Димы Щуки, — поспешил Добродеев. — Он еще
устроил скандал на вернисаже, кричал, бил посуду, помнишь? Я рассказал про него Олегу. Хороший художник
был, и так себя запустить... — Добродеев вздохнул.

— Хороший художник? — удивился Ондрик. — Я бы не
сказал, на уровне школьного кружка, одна фанаберия.
Его картин у меня нет и не было. Когда-то он оформлял
этот зал, справился, ничего не скажу. Потом работал
с Ребровым, у них еще был какой-то конфликт...

— У Димки всегда конфликты, — сказал Добродеев. —
Речицкий сказал, Яник избил его. Он неплохой человек, жаль, спивается.

— А вы видели его картины? — спросил Монах. —
В Интернете нет... Нигде нет.

— Зачем вам?

Монах пожал плечами, ответил не сразу:

— Да как-то он все время на слуху, то от одного ус-
лышу, то от другого. Подрался, устроил скандал на вы-

ставке молодых художников, Леша рассказывал. У вас на вернисаже... Ведет себя как непризнанный гений. Леша считает, что он неплохой художник, но картин его никто не видел.

— У меня была его картина, — сказал Добродеев. — Я, кажется, говорил. Очень милый пейзажик.

— Была?

— Я подарил ее знакомому, он увез ее в Германию. Надо поискать в салонах или в галерее Худфонда, если тебе так уж приспичило.

— Мне нужна картина, — сказал Монах. — Хочу повесить над диваном. Думаю, он много не возьмет.

Добродеев хотел сказать, что над диваном у Монаха уже висит картина, но что-то заставило его промолчать.

— У меня много интересных работ, — заметил Ондрик. — Наши художники, можно выбрать.

— Если сторгуемся... — неопределенно сказал Монах.

... — Чего ты к нему пристал? — спросил Добродеев уже на улице. — На хрен тебе Димка Щука? У тебя уже есть картина!

— Твой друг слишком суетится и много говорит, — сказал Монах.

— Ну и?.. — не понял Добродеев.

Монах не ответил...

...Покупатель не пришел на встречу, он прислал адвоката, длинного тощего крючкотвора с цепким оценивающим взглядом. Он сразу не понравился Артуру, но выбирать не приходилось. Ему нужны были деньги. Да и много ли найдется тех, кто готов выложить такую сумму, времена сейчас сложные.

Сложности начались сразу же.

Глядя на Артура в упор, адвокат сказал, что надеется, что торг уместен.

— В разумных пределах, — сказал Артур, напрягаясь.

— Разумеется, — ответил тот и достал из портфеля папку. — В этом досье ваша финансовая ситуация, господин Ондрик. У вас долги, вы задолжали серьезным людям. Галерея требует денег, но заработать на ней невозможно, это хобби, а не заработок. Вам нужны деньги. Кроме того, других покупателей на сегодня у вас нет. Продолжать?

— Нет, — сказал Артур, чувствуя, как мгновенно пересохли губы.

— Хорошо. Мой клиент заинтересован в покупке картины... — Он заглянул в листок, вытащенный из портфеля, — ...«Любовь и вечность» американского художника Марка Риттера. Принимая во внимание вышесказанное, наша цена следующая... — Он черкнул несколько цифр и пододвинул листок к Артуру.

— Сколько? — изумился Артур. — Но я же заплатил... вы видели документы!

— Стоимость товара постоянно меняется, господин Ондрик. Все зависит от конъюнктуры. Вы же бизнесмен, не мне вам рассказывать.

В голосе адвоката Артуру почудилась издевка.

— Я готов дать скидку в двадцать процентов, — сделал попытку Артур.

— Нет. Мой клиент дал четкие инструкции: или наша цена, или сделка срывается. От себя хочу предостеречь — вам вряд ли удастся найти других покупателей.

— Это угроза?

— Ну что вы! Мой клиент очень заинтересован в покупке картины, хотя, я, если честно, не могу этого понять. Я, видите ли, предпочитаю реализм. Наверное, в силу профессии... — Он издал скрипучий звук, и Артур понял, что адвокат рассмеялся. — Как я уже упомянул, у вас нет других предложений, а долги нужно отдавать немедленно. Подумайте, господин Ондрик. Я надеюсь, через пару дней мы увидимся снова.

Артур был вне себя от бешенства, но деваться было некуда. Он даже не знал имени покупателя, картину по доверенности покупал его адвокат, причем за наличные. Видимо, птица высокого полета. Возможно, не из их города.

От этого было неуютно, ему казалось, что он в темноте, а рядом есть кто-то, кто прекрасно его видит и бог весть что задумал.

Он перезвонил на другой день и сказал, что согласен...

Глава 30
Низвержение в пучину

...Ужасен мрак: никто, никто не знает,
Кто погребен в лесу при тьме ночной.
Иван Козлов «Тайна»

Они расстались на площади. Недоумевающий Добродеев и молчаливый Монах.

Монах ушел, тяжело опираясь на трость. Во всей его фигуре была такая безнадежность, что у сентиментального Добродеева защипало в глазах. Он смотрел Монаху вслед, пока тот не свернул за угол.

Он вдруг вспомнил, что они не договорились на завтра, Монах говорил, что у них куча планов, и вдруг угас.

Из-за Лары? Неужели из-за нее?

Добродеев было вознамерился побежать за Монахом и спросить насчет завтра, но удержался, решив, что Монаха надо на некоторое время оставить одного. Если из-за Лары, то надо радоваться, что осталась жива. А тут такая прямо черная туча, того и гляди, буря или торнадо.

Добродеев невольно хихикнул. Или лавина в горах. Срывается вдруг, летит стремительно, и фиг остановишь. Полная непредсказуемость. Волхв, одним словом. Зацикленный на Димке Щуке волхв. И на Ларе...

Монах, придя домой, первым делом сварил кофе. Выпил и прилег, подложив под больную ногу две подушки. Закрыл глаза и стал думать о путях озарения и от чего оно зависит. От житейского опыта — однозначно. От умения выстраивать цепочки аналогий — несомненно, что опять-таки зависит от житейского опыта. От наблюдательности. От всяких мелких незначительных, не бросающихся в глаза деталей, застревающих в подсознании, на которых держится интуиция, она же нутро. А потом это все воссоединяется в горючую смесь и... бац! Взрыв. Осенило и озарило. Кажется, снизошло откуда-то сверху, ан нет, выдало твое собственное подсознание.

Он поднялся с дивана, дохромал до письменного стола, упал в кресло и включил компьютер.

В десятый, в сотый раз смотрел кино с Речицким и неизвестной девушкой. Смотрел с новым чувством. Неизвестная девушка...

Почему неизвестная? Известная! Другой цвет волос, живость, не то природная, не то наигранная, от которой ничего не осталось в помине, манера хохотать, запрокидывая голову... тоже исчезла.

Он смотрел на нее в больнице и видел спящую девушку на записи... спящий человек похож на себя, он всегда одинаков, на нем нет маски.

Монах испытывал странную боль и разочарование. Она ему нравилась. Он вспоминал, как они пили кофе в павильончике в парке.

Сейчас ему уже казалось, что он с самого начала, как только увидел проклятую запись, понял, только боялся признаться себе. Она была без сознания, и словно спала: бледное лицо, закрытые глаза, чуть повернутая вбок голова...

Это была она, Лара, с той записи, жертва...

Ему бы прислушаться к словам Митрича о том, что Яник Ребров часто бывал у него с девушками, что их фотографии на стене, да полюбопытствовать...

Сегодня он сразу нашел ее. Яник и три девочки, крайняя справа — Лара. Она же Ляля или Лида. Если ожидать увидеть, то можно узнать, хотя она теперь другая.

Некрасивая история. Монах далеко не праведник, всякого навидался, иллюзий в отношении человечества не питает. Но даже в самом закоренелом цинике сидит идеалист, который надеется, что идеал существует. Сейчас он спрашивал себя, что он чувствует...

Он не знал. Он ей не судья.

В этой фразе лицемерие и поза, в ней кроется затаенная обида: я тебе не судья!

Еще как судья! Как она могла? Притворщица, шлюха, обманщица... Торговать или не торговать телом — личное дело каждого, но устроить спектакль с убийством... гнусно. То-то она боялась нос высунуть из дома, то-то была против переезда и постоянно ожидала, что ее узнают. Речицкий, похоже, не узнал...

Монах вспомнил, как она рванулась из рук Речицкого на вернисаже, вспомнил ее напряженное лицо — ему сейчас кажется, что она побледнела и чуть не потеряла сознание от страха, и в нем невольно шевельнулось что-то вроде сочувствия. Загнанное перепуганное животное...

Речицкий ее не узнал, а Ребров? Он прекрасно знал ее в свое время, он не мог не узнать.

Узнал! И поплатился? В его квартире была женщина, на полу нашли ее кровь... Ей было что терять.

Все в Монахе противилось мысли, что Лара убийца. Был соучастник, она не могла одна провернуть весь... спектакль.

Кто? А зачем «Смерть Марата»? Что за символ?

Вопросы, вопросы... Появилась надежда, что будут ответы. Хотя бы на некоторые. А вот на вопрос «что дальше» ответа нет. Он, Монах, ей не судья. А вот сейчас в точку, сейчас он действительно не судья. Он не судья и не имеет права казнить или миловать.

Он представил, как сообщает майору Мельнику, что нашел девушку, убитую Речицким. Все в нем противилось и восставало...

Ладно, решил он, еще не вечер, с этим нужно переспать, как говорит Анжелика...

Зелень успокаивает нервы, считает Добродеев, который любит рассказывать о правильном образе жизни: мюсли на завтрак, пробежка в парке, гимнастика, не жрать на ночь и купаться в проруби. Долгие прогулки за рекой и любование зеленью лугов. Из жизни голубей, короче.

«Что-то одно, Лео, — говорил Монах, — все я не потяну».

А кофе можно? А пиво? А мясо? А фирменные Митрича?

...У Марка Риттера неплохие пейзажи, зеленые и успокаивают нервы.

Монах скользил взглядом по картинам, иногда останавливался, рассматривал внимательнее.

Действительно, успокаивает. Текст простенький, ему вполне хватает его словаря. В первый раз он почти не читал, только рассматривал.

Он вспомнил их кафедральную англичанку, как она заставляла их шипеть и грассировать. Интересная женщина, умная, с чувством юмора. Много лет проработала в Штатах переводчиком. Неля Борисовна. Он влюбился в нее, напросился на дополнительные занятия, провожал домой. Первая серьезная любовь... Через два года она уехала переводчиком в Индию. Он пришел к ней домой с цветами, попрощаться. Принести шампанское не посмел. Она жила одна. Они засиделись до полуночи, много говорили, выпили вина, и он попытался...

Монах вдруг почувствовал, как загорелись уши. Дурак! Мальчишка! Эх, глупая сладкая юность...

«Хватит, — сказал он себе, — займись делом».

«Ад рем». Заходим по-новой. Картинки мы уже видели, теперь почитаем текст.

Мать Марка Риттера — наша землячка, работала билетершей в небольшом «theatre»... С этим ясно. Отец, американец, водил «lorry» — грузовик. Семья жила небогато, мальчик с детских лет рисовал, сам зарабатывал на холст и краски. Ну, конечно, все американские дети подрабатывают в «Макдоналдсе» на кино и попкорн. Или на краски. Даже дети миллионеров. Классика, истоки американской мечты.

Монах нахмурился, перевел взгляд на потолок.

Стоп! Читаем снова. Мать в театре, отец на грузовике. Дальнобойщик? Небогатая американская семья, как многие. Что не так? Считали каждую копейку, Марк сам зарабатывал на краски. Ну и?..

Монах задумался, теребя бороду.

— Черт! — воскликнул через минуту.

Вот оно! И что бы это значило? Эти «theatre» и «lorry»? Как это понять? Дальше больше: «colour» вместо «color»[1]...

Вот же засело в подсознании, сразу и не сообразишь. Различия английского языка и его американского варианта были ее коньком, она доказывала, что это отдельный язык и даже защитилась по теме. Приводила примеры...

Он до сих пор помнит некоторые, въелись намертво — влюбленность в преподавателя помогает успеваемости.

Монах дочитал текст до конца, выловил еще несколько «жучков», сопровождая охоту удовлетворенным хмыканьем. Аккуратно занес нарытое в отдельный файл. Закончил, потянул к себе мобильный телефон и набрал Жорика...

---

[1] Theatre, colour (*англ.*) — театр, цвет; англ. вариант написания; color, theater — амер.; lorry — грузовой автомобиль, в Америке он называется «truck».

Глава 31
Бегство

Находишь всегда то, что не искал.

Закон Мэрианна

С утра он снова проник в больницу. Подмигнул сестричке на посту и прошествовал в палату. И теперь, большой и внушительный в белом халате, сидел на стуле у кровати и держал ее за руку.

Вряд ли он смог бы ответить себе, что он здесь делает. Вчера он поклялся, что отойдет в сторону, пусть Мельник разбирается сам. Сколько можно — и главное никакой благодарности. Подкинули ему «Смерть Марата», а он даже трубку не берет. Хватит!

Он держал Лару за руку, рассматривал ее бледное лицо, глубокие тени под глазами, запавшие щеки. Ей, конечно, пришлось несладко. Шарахаться от любой тени, прятаться за углами, не сметь поднять глаза... Возможно, чувство вины. Не похожа она на хабалистую Анфису, для которой все трын-трава... было. Интересно, она тоже участвовала в аферах Яника? А Лара похоже сломала себе жизнь.

Он задавал себе вопрос: смогла бы она разобраться с Ребровым? Если он загнал ее в угол?

Насколько он мог судить, нет, она, скорее, сбежала бы. Такие, как она, всегда сбегают. Мчатся, куда глаза глядят, как загнанное животное...

Он так задумался, глядя на нее, что вздрогнул, когда она открыла глаза и взглянула на него в упор.

В лице ее ничего не дрогнуло, и он подумал, что

она его не видит. Смотрит, но не узнает. Не включились связи, она еще в полубессознательном состоянии.

— Лара, — позвал он негромко. — Лара, вы меня узнаете?

Губы у нее шевельнулись, он видел, что она хочет что-то сказать. Похоже, узнала. Значит, соображает. Он почувствовал облегчение.

— Лара, — повторил. — Это Олег...

— Олег... — ей удалось произнести его имя. — Где я?

— В больнице.

— Почему?

— Была авария, Лара. Вы возвращались из театра...

— Кирилл знает, что я здесь? Где он?

— Лара... — Монах запнулся. — Вам не следует говорить, вы еще очень слабы.

— Кирилл умер?

Монах опешил. Пока он прикидывал, как сказать ей, чтобы не напугать, она почувствовала...

— Да, Лара, Кирилл умер. Он спас вам жизнь...

Она сглотнула:

— Кирилл... бедный... — Отвернулась к стене и заплакала.

Она его не любила, а он спас ей жизнь, он был хорошим мужем...

— Что вы помните? — спросил Монах. — Лара!

— Машина сзади, Кирилл толкнул меня в сторону, я не поняла... упала и ударилась. Было больно... Больше ничего не помню. Сколько я здесь?

— С позавчера. Вас привезли около часу ночи. Как вы себя чувствуете? Что-нибудь болит?

— Ничего не болит. Трудно дышать. Вы не могли бы убрать... — Она чуть повернула голову, указывая на капельницу. — Олег, пожалуйста!

Молоденькая сестричка всунула голову в дверь и прошептала громко:

— Илья Васильевич! Обход! Уходите!

— Олег, подождите! — Лара смотрела на него умоляюще, и Монах дрогнул.

— Я приду после обхода!

— Олег, заберите меня! Я не хочу здесь!

— Лара, вам нужно...

— Я умру! Я здесь умру... Принесите мне одежду, возьмите в спальне... что угодно! Кроссовки... Я не могу больше... Мне страшно! Пожалуйста, Олег!

Она говорила быстро и бессвязно. Руки ее вцепились в одеяло.

— А ключ? — только и сказал Монах.

— В сумочке! Мои вещи... ключ там! Олег! Ключ!

Она стала задыхаться; Монах похолодел. Бросился к вешалке в углу, отгороженной ширмой; там висел белый халат и какая-то одежда. Там же висела черная замшевая сумочка на длинной цепочке. Он сдернул сумочку с крючка и открыл; ключ он нашел сразу. Повесил сумочку обратно и поставил ширму на место.

— Лара, я взял ключ. Успокойтесь, вам нельзя волноваться.

«Вам нельзя волноваться!» Волшебные слова, которые способны вызвать приступ истерики у того, кому нельзя волноваться.

Она снова заплакала — смотрела на Монаха и беззвучно плакала. Он поспешно вышел в коридор, бросив на прощание:

— После обеда!

— Господи, ну и размазня! — сказал он себе, падая на скамейку в больничном парке. — И что ты собираешься с ней делать? Выкрасть из больницы? Что значит, выкрасть, она взрослый человек! Захочет, уйдет сама. Лично я ее понимаю, я бы там тоже не выдержал. А ты всего-навсего пойдешь у нее на поводу и принесешь одежду. Майор сотрет тебя в порошок, если узнает. Конечно, узнает! Насчет чувства юмора вопрос спорный, но чутье у него дьявольское!

Дверь подалась с ходу — он выбрал правильный ключ из трех, болтающихся на кожаном брелоке с тисненой картинкой кривого дома Гауди и надписью «Барселона».

Оглянувшись, он вошел и осторожно закрыл за собой дверь. Прислушался.

Тут было удивительно тихо. Тяжелая металлическая дверь отсекла все посторонние шумы.

Монах встал на пороге гостиной. Здесь они сидели еще пару недель назад или чуть больше.

Красивая комната, немного пусто. Лара говорила, что занята обстановкой, покупает по Интернету... Кирилл хотел купить «Голубую женщину», место ей как раз между окон, напротив двери. Яркое, голубое с оранжевым пятно...

...Он встал на пороге спальни. Полумрак, шторы задернуты. Он вспомнил, как они с Добродеевым «брали хату» Реброва... Домушники!

Громадная кровать под зеленым атласным покрывалом... супружеская. Теперь уже нет. Кирилл не вернется, Лара осталась одна.

На одной из тумбочек, справа, ночник в виде гнома, вазочка с шоколадными шариками, книжка, заложенная пилкой для ногтей; на другой — стакан с водой и блестящая упаковка лекарства.

Он сдвинул панель шкафа и застыл, соображая, что взять. Остановился на белых джинсах и черном легком свитере.

Держа вещи в руках, чертыхнулся и пошел в кухню искать сумку. Нашел большую холщовую торбу в прихожей, сунул туда одежду; вытащил из забитого обувью шкафчика бежевые сандалии, сунул туда же. Застыл у двери, прислушиваясь, и нажал на ручку...

В больницу он доехал на такси; на месте попросил водителя подождать и пошел умыкать Лару.

Он зашел в палату, положил на стул торбу и спросил:

— Лара, вы уверены?

— Да, — ответила она кратко. — Я хочу домой.

— Набросьте сверху халат, я с машиной внизу. Лифт направо от палаты, не торопитесь, идите спокойно. Не забудьте забрать платье и туфли.

Она кивнула...

...Операция прошла без сучка без задоринки.

Через полчаса Монах доставил Лару домой. Она переступила порог, присела на тумбочку в прихожей и закрыла глаза.

Монах взял ее за руку и повел в гостиную.

— Кофе хотите?

— Хочу. Я приму душ...

...Они сидели за столом в кухне, пили кофе. Она выглядела уставшей и еще более бледной, хотя, казалось, куда больше. Влажные волосы стали темнее. Она напоминала христианскую мученицу, не хватало венка из лилий.

«Раскаявшаяся грешница, — подумал Монах, — кто посмеет бросить камнем?»

Оба вздрогнули от резкого трубного звука — ожил мобильный телефон Монаха. Это был Добродеев.

— Христофорыч, ее выкрали! — закричал он с места в карьер. — Вся полиция на ушах! Прямо из палаты! Я видел майора, он рвет и мечет! У них из-под носа! Охрана ничего не заметила, работали профи! Мафия! Целый взвод охраны, и ничего!

— Кого выкрали? — по-дурацки спросил Монах.

— Господи! Лару! Теперь везде кордоны, проверяют багажники, из города не выпускают.

Добродеев был возбужден. Его несло.

— Зачем она им? — спросил Монах.

— Как зачем?! Она свидетель убийства! Ему позвонили, что она пришла в себя, он прилетел допросить, а ее и след простыл! А ты где?

— В магазине, — соврал Монах. — Вышел за хлебом. Хлеб кончился.

— Что будем делать, Христофорыч?

— Леша, очень плохо слышно, я перезвоню! — прокричал Монах и отключился.

— Лара, ваш побег обнаружен, я думаю, майор Мельник может заявиться в любую минуту. Он хочет с вами поговорить.

— Но я же ничего не видела! — В голосе ее было отчаяние.

— Не бойтесь, Лара. Он придет поговорить, это нормально. Объясните, что не могли выдержать в больнице, пришли в себя и пошли домой. Сестричка сказала, что ваш муж погиб, и вы ушли. Кроме того, у вас аллергия на капельницы. Придумайте что-нибудь. Я перезвоню.

— Олег, вы не можете остаться? — Она смотрела на него умоляюще.

Монах невольно рассмеялся:

— Нет! Майор Мельник мне не простит. Не бойтесь, Лара! Я позвоню.

Она не встала его проводить. Он оглянулся на пороге кухни: она сидела, отрешенно уставившись на чашку с кофе...

Глава 32

Исповедь

> Ты слушать исповедь мою
> Сюда пришел, благодарю.
> Все лучше перед кем-нибудь
> Словами облегчить мне грудь...
>
> *М. Лермонтов «Мцыри»*

А Монах, совершенно забыв перезвонить Добродееву, отправился на встречу с Черным властелином, он же Эрик с приветом, — странным малым, тем самым, что едва не убил Монаха в спальне собственной бабушки.

Номер телефона ему дал Жорик, так как Эрик трудился в «Зеленом листе» программистом.

Они встретились у кафе «Паста-баста».

Эрик выглядел еще более неадекватным, чем раньше, причем подъехал на скейте.

Монах не видел его пару лет, но узнал сразу. Эрик был заметен издалека — тощий, долговязый, длинноволосый, весь в черном, увешанный серебряными цепями и проколотый везде, где только можно, летящий в наушниках через толпу.

Он плавно затормозил около Монаха, выдернул из ушей наушники и кивнул.

— Спасибо, что пришел, — сказал Монах. — Пошли посидим, дело есть.

Парень снова молча кивнул. Он вообще был не из болтливых. Вид у него был отсутствующий.

Они уселись за столик в углу, и Монах спросил:

— Кофе будешь?

Эрик помотал головой.

— Тогда сок. А хочешь, блинчики «Сюзетта» с мороженым и апельсиновым вареньем? Вижу, что хочешь. — Монах помахал девушке в длинном черном переднике. — Может, мяса?

— Я не ем плоти, — сказал Эрик басом.

— Веган? Ну и правильно. Я тебе сейчас кое-что покажу, а ты скажешь, что ты по этому поводу думаешь, лады?

Эрик кивнул.

Монах достал из папки лэптоп и открыл на нужном сайте.

— У тебя с английским как?

Эрик снова кивнул.

— Ну и прекрасно. Хотя не суть важно. Смотри сюда.

Склонившись голова к голове, они рассматривали открытый сайт, и Монах объяснял, что ему нужно.

Эрик кивнул, подтянул компьютер к себе и забегал пальцами по клавиатуре...

Около полутора часов спустя они расстались. Эрик вскочил на скейт и умчался, а Монах, не торопясь, зашагал домой.

Из дома он позвонил Ларе, рассчитав, что майор, если и приходил, то, скорее всего, уже ушел.

Так оно и было — Лара была одна.

— Олег, он только что ушел. Вы придете?

— Вам нужно отдохнуть, — сказал Монах.

— Пожалуйста!

— Через час. — Он сдался без боя.

...Монах позвонил в дверь, подумав, что как-то зачастил сюда.

Она распахнула дверь, словно стояла там и ждала.

Они сидели на диване.

Лара плакала, Монах молчал.

Она старалась не всхлипывать, промокала глаза салфеткой, но остановиться не могла.

— Лучше бы мы сюда не переезжали, — повторила несколько раз. — Я говорила Кириллу, но он никогда никого не слушал. Только Андрей умел убедить его, да и то только потому, что распоряжался деньгами. Кирилл молчал, но не соглашался. Он был высокомерный, считал всех дураками, над всеми смеялся... но он спас мне жизнь! Когда мы шли по улице и та машина рванулась в нашу сторону, я застыла, а Кирилл оттолкнул меня. Я упала, ударилась головой, разбила руки... Ничего не помню, только резкий толчок! Мы смотрели «Мою прекрасную леди» в Театре оперетты, потом зашли поужинать, а затем пошли домой пешком. Была прекрасная ночь, народу почти не было... Знаете, это был один из немногих наших вечеров, когда мне было хорошо. Кирилл был такой... мягкий, добродушный, говорил о поездке в Испанию... И сейчас я думаю, может, это я виновата, что у нас не складывалось...

Мне бы больше терпения, понимания... Бизнес — это сложно, тем более всем заправлял Андрей, а тут все свалилось на Кирилла. Он спас мне жизнь! А я не смогу ответить ему, потому что уже некому. Если бы он был один, он сумел бы отскочить... И все мои терзания кажутся такими нестоящими, разве есть люди без недостатков? Он любил меня, это самое главное. Он дарил мне цветы... Как мне теперь жить? Уехать и бросить его одного... здесь? Я не люблю этот город, я его ненавижу! — В последней фразе слышался надрыв. — Кирилл взял большой кредит, я узнала уже потом. Он уезжал на два дня, чтобы встретиться и договориться, сказал, все в порядке, а они хотели нас убить. Я отдала все документы майору Мельнику, пусть разбираются...

Монах молчал, давая ей выговориться.

— Я уеду! Куда угодно! Я ни минуты здесь не останусь. Рыдаев помогал купить завод, теперь пусть помогает вернуть его назад... Речицкому. Не повезло нам с заводом, а ему с лошадьми. Перед вашим приходом он звонил, хотел со мной увидеться, но я никого не хочу видеть. Он ничего не знал про наезд и Кирилла... Будет рад, теперь получит назад свой паршивый завод. А может, это он! — Она помолчала, потом сказала: — Нет, конечно, я не думаю на него, я уже не знаю, что думать, я боюсь выйти из дома. У Кирилла были долги. А Речицкий... он мне никогда не нравился, что-то в нем безудержное, никогда не знаешь, что выкинет. А его друг Яник вообще... — Она замолчала. — Когда Кирилл сказал, что пригласил их к нам, я расстроилась, мне хватило вернисажа. Как они меня рассматривали, Речицкий и Яник, даже Кирилл заметил...

— А как вам картина с голубой женщиной?

Лара невольно рассмеялась:

— Ужасно! Кирилл хотел ее купить. А Яник сказал, что Ондрик спекулирует картинами. Раскопает никому не известного автора, сделает рекламу, а потом продаст втридорога. У каждого свой способ зарабатывать на жизнь. Я бы ее не купила, но, если кому-то не жалко денег... — Она пожала плечами. — А пейзаж миленький, я даже хотела найти это место за рекой, но Кирилл сказал, что таких картин сотни, все одинаковые, никакие.

— Я заглянул на сайт Марка Риттера, — заметил Монах. — Там много картин. Список проданных, цены... Я бы ее тоже не купил. Правда, я в живописи не разбираюсь. — Он ухмыльнулся и сказал, поймав ее вопросительный взгляд: — Однажды мы с моим другом Жориком украли картину.

— Вы украли картину? — Лара перестала плакать, взглянула недоверчиво. — Зачем вам картина?

— Чтобы продать. Времена были трудные, я вернулся из Непала, работы нет, денег нет, ну, мы и решили ограбить один дом. Человек — животное полосатое, полоска белая, полоска черная.

— Как оса?

— Как оса. Или бурундук.

— Удачно?

— Грабеж? Не очень. Как-нибудь расскажу.

— Вы говорили, что весной уходили в горы... Я не понимаю гор, я люблю море, мы часто ездили в Испанию, на Сейшелы... Что вас туда тянет?

— Что тянет? — Монах задумался. — Должно быть, пространство, пустота, свобода. Горы и ты. Заснеженные пики, цветущие олеандры. Однажды выпал снег, и розовые цветки были в снегу. Ты получаешь то, что видишь. Наша беда в том, что мы не остаемся наедине с собой. Только в одиночестве человек естествен, не притворяется, не носит маску. Там понимаешь, что все суета сует. Я попадаю туда и чувствую, что вернулся домой. Прекрасный воздух, звезды, река булькает на перекатах. Кроме того, испытание себя: сдюжишь или сбежишь. Узнаешь о себе много нового. Есть места, куда мы готовы возвращаться все время, и наоборот, в некоторые места нас на аркане не затащишь. Но ведь обидели и напугали нас люди, а не дома или площади, правда?

Он смотрел Ларе в глаза, и она отвела взгляд.

В квартире было тихо; пауза затягивалась.

Лара обхватила себя руками, смотрела в пол.

— Вы ведь бывали раньше в нашем городе...

Не то вопрос, не то утверждение.

Фраза повисла в воздухе. Лара молчала.

— Не хотите рассказать, что произошло?

Лара резко вдохнула и закрыла рот рукой.

— Как вы... — Она осеклась.

— Как я догадался? Вы же читали мой сайт, я многое могу. У меня хорошие аналитические способности. Я в отличие от многих, могу видеть. Человек выдает себя мельчайшими деталями; тот, кто умеет видеть, читает человека как книгу. Вы несколько раз повторили, что никогда раньше у нас не бывали, что почти не выходите из квартиры... Казалось бы, разве не интересно посмотреть город? Пробежаться по лавкам? Посидеть в кафе? Я могу объяснить подобную сдержанность лишь одним: вы боялись наткнуться на старых знакомых. В парке вы побежали на встречу с Кириллом по дорожке, которую знают только местные. Некоторые другие моменты, мимолетные, незаметные... Например, то, как вы смотрели на Речицкого. Вы ведь знали их раньше, правда? Речицкого и Реброва. Я видел, как вы отступали в тень, боясь, что вас узнают. Когда Речицкий схватил вас за руку, вы испугались и рванулись. На вашем лице промелькнул не испуг, нет, это был ужас! Отчего? Оттого, что приятный во всех отношениях мужчина взял вас за руку? Тем более добрый знакомый вашего мужа. Нет, Лара, вы испугались, что он вас узнает. Я видел, как вы смотрели на Реброва... как на гада, с содроганием и отвращением! Этот, если бы узнал, не пощадил бы. — Он помолчал. — Не хотите рассказать?

Монаху было ее жаль. Она сидела едва живая, не смея поднять на него глаза. Он не знал пока, стоит ли говорить ей о записи, найденной у Реброва, и решил не торопиться. Время подскажет.

— Вы правы, Олег. Я жила здесь раньше, училась в музыкальном училище. Денег не было, помогать было некому. Я пришла к Реброву и сказала, что хочу участвовать в конкурсе красоты. Девчонки говорили, он нормальный, не откажет. Он сказал, что нужно работать над собой, менять манеры, внешний вид, что он даст денег на тренеров. Мы стали любовниками. Через два месяца он предложил мне... — она запнулась, — ...переспать со своим другом, как он сказал. За деньги. По-моему, я его любила. Он дарил мне одежду и бижутерию. Я проплакала всю ночь и согласилась. Я не могла ему отказать, он был добр со мной. — Она замолчала, по-прежнему не глядя на Монаха. — Потом он показывал мне мужчину, и я с ним знакомилась. Сначала я не знала, что в квартире установлена видеокамера, а потом случайно наткнулась и поняла, что все, что происходило в спальне, записывается. Даже такая наивная дурочка, как я, сообразила, что он их шантажирует. Я хотела бросить все и сбежать, но привыкла к деньгам. Уговаривала себя, что, как только окончу училище, сразу уеду. Училище я так и не окончила. Про камеру я ничего ему не сказала, по-моему, он сам догадался, что я знаю. У него был ключ от моей квартиры, он приходил забрать записи. Я знала, что он приходил, что-то было сдвинуто, что-то упало на пол; иногда он пил кофе, и тогда я находила в мойке грязную чашку...

Она сидела понурившись. Перестала плакать, сложила руки на коленях, говорила монотонным осевшим голосом.

Монаху казалось, что из нее, как из шарика, выходит воздух. И она не остановится, пока не выскажется. И тогда шарик станет пустым.

— Однажды он предложил мне разыграть его приятеля Речицкого. Я не была с ним знакома, мне его показал кто-то из девчонок и сказал, что он бабник номер один в городе. Пообещал деньги, причем приличные. Две тысячи долларов. Он вообще любил шутить. Когда я узнала, в чем заключалась шутка, я наотрез отказалась. Это было ужасно! Но он сказал, что я дурочка, что они с Речицким любят прикалываться еще с детства, что он представляет себе физиономию приятеля... и так дальше. В итоге я согласилась. Он рассказал, где можно встретить Речицкого, как познакомиться, каких он любит женщин...

А потом мы пошли ко мне. Я насыпала Речицкому в вино какой-то порошок, он уснул. Под утро я вылила на кровать и на себя красную краску, которую дал

Яник, поставила мобильник на шесть и легла. Речицкий проснулся после восьмого сигнала. Я лежала с закрытыми глазами, слышала, как он бегает по спальне, видимо, одевается. Больше всего я боялась, что он станет присматриваться ко мне, пощупает пульс, поймет, что это не кровь... Там был полумрак, гардины были задернуты. К счастью, он не стал присматриваться, он просто удрал! Хлопнула дверь спальни, и сразу же входная. Я перевела дух. Вскочила и побежала к окну. Я увидела, как он почти бежит со двора, и набрала Реброва. Он сказал, чтобы я все убрала, он скоро приедет. Он приехал, обыскал спальню, убрал камеру и сказал, что мне нужно уехать на пару месяцев, потому что по закону подлости я завтра же столкнусь с Речицким на улице, и лучше не рисковать. Отдал деньги. Когда он сказал, что лучше не рисковать, мне стало страшно, я поняла, что это была не шутка. Зачем ему нужно было разыгрывать все это, я старалась не думать. На другой день я уехала. Сбежала, прекрасно понимая, что сюда я больше не вернусь, и больше не хочу видеть ни Реброва, ни его приятеля. Ребров стал внушать мне страх...

Я уехала к тетке в Зареченск, стала работать секретаршей в филиале компании Кирилла. Там мы с ним познакомились и стали встречаться. Мне страшно завидовали, пошли сплетни, и я сказала ему, что нам нужно расстаться. Кирилл тут же сделал мне предложение. В феврале он сказал мне, что собирается купить завод в... Когда он назвал город, мне стало дурно...

Лара замолчала. Молчал и Монах. Примерно так он и представлял себе то, что произошло.

— Что было дальше? — спросил он наконец. — Мне кажется, это не все. Ребров вас узнал, не мог не узнать. Что он предпринял?

Лара молчала, глядя в стол, и Монах спросил:

— Он хотел увидеться с вами?

— Да... — уронила она. — Он звонил несколько раз и говорил всякую ерунду, не называя себя, издевался, пугал...

— Что было дальше?

— Он потребовал, чтобы я пришла к нему в час ночи... Спросил: «Адрес помнишь? Ключ все еще у тебя?» И засмеялся. В час ночи! Он знал, что Кирилл в отъезде. Весь день меня трясло, а вечером я стала собираться... как на казнь. Перебрала платья, бросала одно за другим, мне хотелось выглядеть как можно хуже, чтобы он увидел, что я уже не та молоденькая девчонка, и отстал. Надела парик, как будто спряталась. Я думала, что ему нужно... — она запнулась. — По старой памяти, понимаете? Он видел, что я его боюсь, ему доставляло удовольствие мучить меня, он издевался... Я поняла, что пропала. Он не отпустит меня...

— Почему вы хранили его ключ?

— Не знаю. Я ведь любила его. Как память, наверное... Он знал об этом! Догадался. Он видел меня насквозь...

Она снова замолчала и закрыла лицо руками.

«Как все просто, — подумал, Монах. — Как все просто... Привет из прошлого. Но как она могла одна? Или был еще кто-то?»

— Было почти час ночи, когда я отперла дверь. Всюду горел свет. Я позвала его, мне никто не ответил.

В квартире было очень тихо. Я заглянула в гостиную, там никого не было. А потом в ванной я увидела Яника, он лежал в ванне, полной крови, а с его руки кровь стекала на пол... Я закричала и бросилась в прихожую... зацепилась за коврик, упала... Не знаю, сколько я там лежала... Очнулась, поднялась... ноги меня не держали, и выскочила вон. Летела вниз по ступенькам, и мне казалось, что меня кто-то догоняет и сейчас схватит или столкнет. Только на улице я поняла, что я одна, что никого нет. Я заметила кровь на руке, оказалось, я сорвала ноготь... видимо, когда упала. Только тогда я почувствовала боль. Город был пуст... Я пошла домой. Заперлась на все замки, задернула шторы, полчаса стояла под горячим душем...

Они молчали, не глядя друг на друга.

— Вы мне верите? — спросила Лара.

— В квартире еще кто-то был? — ответил вопросом на вопрос Монах. — Вспомните, может, какой-то звук? Движение, шорох...

Она помотала головой.

— Запах? Вы помните запах лосьона Реброва?

И снова она помотала головой.

— Чем пахло у него в квартире?

Она пожала плечами:

— Ничем. Не знаю... В ванной чем-то вроде шампуня... как всегда.

— Почему вы пошли в ванную?

Она смотрела непонимающе.

— Вы заглянули в гостиную, там никого не было. Вы позвали Реброва, он не ответил, и вы пошли его искать, так? Почему вы не подождали его в гостиной?

Лара задумалась.

— Не знаю...

— Куда же вы направились? Не в ванную же, правда?

— В кухню... А ванная была по дороге, дверь была открыта, и я увидела... там горел свет...

— И вы бросились бежать, споткнулись и упали...

— Да! Сорвала ноготь... до крови. На указательном пальце...

— Поэтому обстригли ногти? Я помню, на вернисаже у вас были длинные ногти.

Она кивнула, насторожено глядя на него, ей было непонятно, чего он добивается, она ведь все сказала!

— Вы считаете, я должна была все рассказать в полиции? Я не могла... Господи, неужели вы не понимаете? Когда Кирилл сказал, что это, скорее всего, самоубийство, у меня отлегло от сердца: значит, не будут искать, значит, не выйдут на меня...

— Лара, вы боитесь меня? — внезапно спросил Монах.

— Не боюсь. — Она подняла на него глаза, но уверенности в голосе не было.

— Вы мне верите?

Она напряженно вглядывалась в его лицо, пытаясь понять, что ему нужно. Кивнула...

Глава 33

Сеанс гипноза

— Лара, сейчас мы проведем маленький сеанс гипноза, — Монах взял ее безвольную руку. — Это не страшно. Вы на пару минут уснете, а я задам вам несколько вопросов, согласны?

— Зачем? — Она испугалась, вид стал еще более затравленным.

— Человек зачастую не помнит, что видел, потому что включились защитные механизмы. Я расторможу ваше подсознание и вытащу то, о чем вы забыли. Не нужно бояться, это не больно. — Он пошутил, но она его шутки не приняла, смотрела тревожно.

— Вы расскажете про меня? — спросила она. — Вы думаете, это я его? И забыла?

— Нет, я так не думаю. Вам это было бы не под силу.

— Но тогда...

— Лара, доверьтесь мне. — Он вытащил из кармана брюк серебряную монетку. — Смотрите сюда. Я буду считать, на счет «три» вы уснете. Проснетесь, когда я снова досчитаю до трех. Готовы? Раз! Два! Три...

Глаза ее закрылись, и он почувствовал, как она расслабилась.

— Лара, — позвал он. — Вы меня слышите?

— Слышу.

— Вы сами открыли дверь ключом?

— Да.

— Что было, когда вы вошли в квартиру?

— Ничего.

— Кто вас встретил?

— Никто.

— Что вы сделали?

— Позвала Яника.

— Что было потом?

— Я пошла по коридору и заглянула в гостиную.

— Там кто-нибудь был?

— Нет.

— Вы остановились на пороге?

— Да.
— Кто там был?
— Никого.
— Что вы увидели в гостиной?
— Свет. Диван. Гардины... полузакрытые.
— Полузадернутые?
— Да.
— Почему вы пошли дальше?
Она молчала.
— Почему вы не вошли в гостиную?
Она по-прежнему молчала.
— Почему? Кто там был, Лара?
— Не знаю.
— Вы что-нибудь слышали?
— Нет.
— Где он был?
— Прятался за гардиной.
— Он вас видел?
Долгое молчание.
Потом она сказала:
— Да.
— Откуда вы знаете?
— Он смотрел на меня.
— Кто это был?
— Не знаю.
— На кого он был похож?
— Не знаю.
— Вы видели его?
— Нет.
— Что вы сделали потом?
— Пошла в кухню.
— Вы испугались?

— Да.

— Чем от него пахло?

— Лимоном.

— Что он сказал?

— Ничего.

— Он пошел за вами?

— Нет.

— Вы его узнали?

— Нет.

— Кто это был?

— Не знаю.

Монах помолчал, потом медленно и раздельно начал считать:

— Раз. Два. Три...

Лара открыла глаза, уставилась тревожно:

— Что я сказала?

— Почти ничего, — соврал Монах. Ему не хотелось ее пугать.

— Вы им расскажете?

— Нет. Лара, вам нужно отдохнуть. Я пойду.

— Олег, а они не найдут ту запись?

— Не факт, что найдут, — ушел от ответа Монах.

— А вы не можете остаться?

— У меня встреча через час. Я перезвоню. Ложитесь, Лара.

— Олег...

Он взглянул на нее вопросительно.

— Олег, майор сказал, что можно забрать Кирилла... Вы поможете? Пожалуйста!

— Помогу. Мы все сделаем. Постарайтесь заснуть, вам нужен отдых.

Она проводила его до двери. Он притянул ее к себе,

прикоснулся губами к ее лбу. Она прижалась к нему, и он снова подумал, что она похожа на испуганное животное.

Он стоял на лестничной площадке, пока она не заперлась; потом не спеша зашагал вниз.

Никакой встречи у него не было, он хотел дать ей время прийти в себя. Да и ему было о чем подумать...

Он посидел за компьютером, выпил две чашки кофе, постоял на балконе. В два ночи, когда он наконец погрузился в некрепкий сон и ему даже стало сниться что-то невразумительное, в дверь позвонили.

Ожидание очередной пакости было настолько сильно, что Монах вскочил и помчался в прихожую. Глянул в глазок и, к своему изумлению, увидел Добродеева.

Он распахнул дверь и рявкнул:

— Совсем уже? Какого хрена?

— Это я тебя должен спросить, какого хрена! — выпалил Добродеев, вваливаясь в прихожую. — Где она?

— Кто? — опешил Монах.

— Лара! Это ты ее выкрал! Где она? — Журналист пылал праведным гневом. — Ты! Как ты мог! И ни слова!

— Заходи, Лео. Здесь ее нет. Поговорим...

Следующие полчаса Монах оправдывался, напирая на то, что все случилось очень быстро, что Лара хотела уйти, что он ее отговаривал, но она сорвала с себя капельницу и... И ему не оставалось ничего другого, как вызвать такси. Она была как невменяемая, она боялась оставаться там...

— Кстати, ее никто не стерег, никакого взвода полиции не было, и я подумал, что, может, это к лучшему...

— Ты думаешь, ей что-то угрожает? Лично я считаю, что они метили в Кирилла. Мельник бросился ее искать, он был... страшен! Он уверен, что без тебя не обошлось, в больнице ему сообщили, что ты полдня торчал в ее палате...

— Вообще-то, мы оба торчали. И не полдня, а всего пару часов.

— Вчера. А сегодня ты один торчал. Мне с трудом удалось его разубедить.

— Спасибо, Лео.

— Она случайная жертва, ей ничего не угрожает. Майор тоже так считает. Всем известно, что у мафии длинные руки.

— Майор... — хмыкнул Монах. — Я бы не был столь категоричен.

— В каком смысле? Ты хочешь сказать, что пытались убить Лару? Господи, Христофорыч, о чем ты!

Монах загадочно молчал.

— В чем дело? Говори наконец!

— Леша, Лара была в квартире Реброва в вечер убийства, и убийца ее видел.

Добродеев ахнул.

— Откуда ты знаешь? Она призналась? Как она туда попала?

— Долгая история. Я расскажу, но это между нами.

Добродеев перекрестился.

— Она когда-то училась у нас, пересеклась с Ребровым, хотела принять участие в конкурсе на «Мисс города». Они встречались...

— Ребров и Лара?

Монах кивнул.

— Потом она уехала, вышла замуж... дальше ты знаешь.

— Они возобновили отношения? — догадался Добродеев.

— Нет. Он пытался ее шантажировать. Потребовал прийти к нему в час ночи... Кирилл был в отъезде. Короче, когда она пришла, Ребров был мертв, а в квартире кто-то был.

— Кто?

— Она не знает, он прятался за портьерой. Она говорит, что помнит, как он смотрел на нее, но кто это, она не знает.

— Ты хочешь сказать, что он пытался убить?

— Похоже на то. Он ее боится, так как думает, что она его узнала. Когда она увидела Реброва в ванне, то бросилась бежать, упала в прихожей и поранила руку...

— Кровь на полу в прихожей! — ахнул Добродеев. — Помню, в одном детективе тоже...

— Ты понимаешь, что он не успокоится, пока не убьет ее?

— Надо сказать майору.

— Думаешь, он ей поверит? Она боится собственной тени, ее трясло после беседы с ним. Страх, чувство вины, смерть Кирилла... Не знаю, Леша.

— А что делать?

— Будем думать. Пиво будешь?

— Буду. А зажевать?

— Есть. Кстати, а почему ты так поздно?

— Я вообще не хотел после этого с тобой... И звонить не хотел, злой был, не мог поверить, что ты без меня, за моей спиной... тайны какие-то, сговор. Провертелся до двух, а потом решил лицом к лицу расставить все точки над i.

Монах кивнул и полез в холодильник. Он суетился, выгребал все из холодильника, выкладывал на стол; чувствовал себя виноватым оттого, что не рассказал Добродееву про Лару и Речицкого.

Сказал себе, что сначала должен подумать...

Глава 34
О взломах и кражах

Майор Мельник тоже не спал в эту ночь. Размышлял. Пил кофе и курил одну сигарету за другой. Он бы с удовольствием выпил пива, но пива у него не было.

Утренний разговор с Ларисой Юшкевич дал немного. Она сообщила, что сбежала из больницы самостоятельно, никто ей не помогал, что боится больниц, капельниц и уколов... В общем, всякие дамские штучки.

Майор ей не поверил, но форсировать не стал. Выразил соболезнования и стал расспрашивать о врагах мужа.

Оказалось, Юшкевич взял большие кредиты, были какие-то трения, он выезжал на встречу, отсутствовал два дня, а когда вернулся, сказал, что решили миром.

Деталей она не знает. Думает, что ничего не решили, муж сказал так, чтобы ее успокоить.

Передала им все бумаги мужа. Мотив? Возможно. Но все не так однозначно.

Нашли они эту компанию «Кредитный фонд», оказалось, все чисто, они ни при чем. Действительно, решили миром, добавили процент и отодвинули платеж на полтора года.

В поисках автомобиля они проверили все ремонтные мастерские, но ничего не обнаружили. Машина растворилась в воздухе. А ведь урон должен быть приличный, вмятина, разбитая фара, а то и две.

Юшкевич показала, что машина рванулась на тротуар, а потом снова вернулась на шоссе. Она уверена, что их пытались убить.

Если кредиторы ни при чем, то кто? А мотив? Они здесь чужаки, не успели завести ни друзей, ни врагов.

Возможно, водитель задремал и вылетел на тротуар. Было довольно поздно, начало первого...

Куда же он делся после наезда? Затихарился в собственном гараже? Придется пошарить. Криминалисты пытаются установить марку машины по осколкам фары и частицам лака на одежде жертвы. Хорошо бы, машина элитная, таких по городу меньше. Вот тогда и возьмемся за местный автопарк.

А если заезжий? Чужой? Тогда без толку.

Хорошо, что у Речицкого алиби, а то можно было бы подумать, что он решил вернуть свой пивзавод.

Майор Мельник пьет кофе и курит, во рту горечь, желудок требует чего-нибудь более существенного, но в холодильнике шаром покати. Он вспоминает уютную кухню Ольги Полторак и думает, что в ее холодильнике, должно быть полно еды. Причем не осточертевшие магазинные запайки или пельмени, а жаркое или борщ... Он вздыхает, вспомнив их последнюю встречу, когда он заставил ее сдать анализ ДНК, как она смотрела на него...

Думает о лавине убийств, захлестнувших город... Он уже вздрагивает от каждого телефонного звонка, сразу мелькает мысль: кого еще?

...Пробуждение их было ужасно. Невыспавшиеся после ночных пивных посиделок, с помятыми физиономиями, с головной болью, выползли члены «Союза толстых и красивых» в кухню.

— Кофе! — простонал Добродеев, падая на табурет. — И холодный душ! Но сначала кофе.

Монах сварил кофе.

Добродеев, добавив воды из-под крана, чтобы было не так горячо, приник к кружке.

— Есть овсянка, — сказал Монах. — Остальное мы схарчили ночью. Анжелика принесла когда-то. Будешь?

Добродеев помотал головой — нет. На лице его появилась гримаса отвращения.

— А как же ЗОЖ?

— Кто?

— Здоровый образ жизни.

Добродеева передернуло.

— Согласен, — заметил Монах, — добродетель сама по себе наказание.

— Может, к Митричу? — предложил Добродеев. — Я бы перекусил.

Монах кивнул...

...Митрич бросился к ним как к родным.

— Ребята, ну что, нашли их? Все уверены, что это мафия! А как же пивзавод? У нас с ними договор, хорошее пиво, а что будет теперь?

— Не рохай, Митрич, Речицкий купит его обратно.

Пашка Рыдаев уже готовит документы. Получишь ты свое пиво.

— Слава богу! — обрадовался Митрич. — Нет, конечно, жалко человека, не успел к нам переехать, как сразу убили. Я его не знал, но говорят, хороший был человек. И жена молодая осталась... Бедная женщина!

— Митрич, нам бы позавтракать, — сказал Добродеев. — Всю ночь работали.

— Да, да, сейчас! — заторопился Митрич. — Могу сделать омлет и блинчики с мясом!

— Митрич, ты гигант! — обрадовался Добродеев. — Давай!

— Кстати, Митрич, у тебя нет фотки Димы Щуки? — спросил Монах.

— Димки Щуки? — Митрич остановился. — Есть! С Яником Ребровым, в первом ряду, в конце. Они когда-то дружили.

— Когда-то?

— Ну да, пока не подрались. Димка его подвел, и Яник не заплатил за работу и побил его. А что?

— Я надумал купить его картину, — неопределенно сказал Монах.

— Да он больше не рисует, он теперь больше как оформитель. Как жена бросила, так он сразу запил, скандалил по городу, у меня драку устроил. Давно не был — перестал ходить, обиделся, что вызвали полицию.

Митрич убежал, а Монах пошел смотреть фотографию Димы Щуки с Яником Ребровым.

Яник был в белом, Дима Щука в затрапезной футболке, бейсбольной шапочке и джинсах. Тощий длинный, чем-то похожий на Жорика...

— Зачем он тебе? — спросил Добродеев, когда Монах вернулся. — Только не надо заливать про картину. Ну? Из-за Яника? «Смерть Марата» не всякий знает, а Дима знает наверняка, и морду ему Яник побил, и публично унизил, и не заплатил, да?

Монах пожал плечами, но ответить не успел. К ним уже спешил Митрич с тележкой.

Добродеев сглотнул невольно.

Омлет, блинчики с мясом, бутылочка соевого соуса и тарелка с бутербродами. И запотевшие бокалы с пивом.

— Куда нам столько, — сказал Добродеев лицемерно, пожирая глазами снедь. — Тут на десятерых!

— Кушайте, ребята, кушайте. Человек должен хорошо питаться. Особенно мужчина. Приятного аппетита!

Минут десять они молча ели, запивая пивом. Потом Добродеев спросил:

— Скажешь или опять тайны?

— Леша, ты все правильно понимаешь, и морду ему побили, и унизили, и французскую живопись должен знать. Как-то он все время вертится вокруг да около, а личика не кажет. То скандал, то мордобой, и везде Дима Щука. Дима Щука то, Дима Щука се. Все его знают, фоткаются с ним, пьют, вот только что был здесь! И нету. Исчез, Фигаро. Хочу на него посмотреть.

— Ты думаешь, он мог убить Реброва?

— Гипотетически даже ты мог его убить за дурную шутку про тренера сумо. Я не мог, я его мало знал. Ты сегодня очень занят?

— Ну-у... — протянул Добродеев. — А что?

— Давай смотаемся к нему прямо сейчас. Адрес помнишь? Доедай, и вперед.

...Спустя час они стояли перед избушкой бабы-яги. Маленькой покосившейся, на отшибе рощи. С прова-ленными ступеньками крыльца, кривыми перилами, неровными слепыми оконцами. С неожиданно новой пристройкой справа. Избушку окружал заросший тра-вой двор — несколько одичалых сучковатых яблонь и буйный малинник с почерневшими ягодами. Вокруг царила первозданная тишина, нарушаемая писком по-тревоженной птицы; нигде не чувствовалось ни малей-ших признаков присутствия человека.

— По-моему, там никого нет, — сказал Добродеев.

— Когда ты видел его в последний раз? — спросил Монах.

— На вернисаже, когда он бил посуду. С тех пор не видел.

— Пошли! — Монах толкнул полусгнившую калитку и пошел к дому.

Добродеев, оглянувшись, последовал за ним. Угро-жающе затрещали ступеньки, заходили ходуном доски крыльца.

Монах постучал. Сначала деликатно, костяшками пальцев, потом кулаком. Добродеев, сложив руки до-миком, заглянул в окно.

— По-моему, никого нет. Смотри, листьев намело, сюда давно никто не приходил. Куда же он делся?

Монах достал из кармана пилку для ногтей и при-казал:

— Леша, посмотри, чтобы не застукали.

— А где твоя отмычка? — Добродеев переминался с ноги на ногу и озирался.

— Отмычка для серьезных замков, здесь обойдемся пилкой. — Он завозился пилкой в замочной скважине. —

Готово! — Потянул за ручку, и дверь с неприятным скрипом подалась.

На них дохнуло тленом и сыростью. Они прошли через узкий захламленный коридорчик в комнату, в такой же мере захламленную и забитую ящиками с тряпьем, книгами и посудой.

Казалось, хозяева, с тех пор как сюда переехали, не удосужились разобрать барахло. Проваленный диван с несвежей постелью и свесившейся на пол простыней, комод с незадвинутыми ящиками, письменный стол у окна, полузакрытого выгоревшей занавеской.

— Неужели он здесь живет? — не поверил Монах.

— У него когда-то была квартира в городе, он оставил ее жене, а она отдала ему... это. Он говорил, тут лет десять никто вообще не жил. Сказал, что все оборудует, место ему нравится, лес рядом, ручей. Находка для художника. Даже построил студию. А потом спился.

— Пошли в студию, посмотрим, где он работает.

Через невысокую дверь они прошли в студию и застыли на пороге.

Разница с «гостиной» была разительная. Через стеклянную крышу сюда падал свет, под стенами стояли подрамники с холстами, холсты лежали также на полу. На длинной консоли помещались гипсовые человеческие торсы, головы и части тела; на стенах висели несколько оленьих голов и одна кабанья с устрашающими клыками.

Обстановка была вполне богемная. Богемности добавляло даже то, что на всем лежал толстый слой пыли и по углам валялись высохшие заскорузлые кисти и коробки с красками. Похоже, сюда давно не ступала нога человека.

Монах поднимал с пола холсты, разглядывал. Это были натюрморты, пейзажи, портреты людей в пышных одеждах, обнаженная натура, женские портреты и театральные задники.

— Вот он! — вдруг сказал Добродеев. — Автопортрет! Как живой!

Художник изобразил себя в черном средневековом камзоле с пышным жабо и штанах с буфами, на голове его красовался берет с пером страуса и крупным серебряным аграфом.

Несколько минут они рассматривали Диму Щуку, а тот, в свою очередь, смотрел на них пронзительными темными глазами.

— Как ты думаешь, если я позаимствую у него картину, он заметит?

Добродеев затруднился с ответом. Помолчал, а потом сказал:

— Они здесь все равно пропадают. Христофорыч, по-моему, с ним что-то случилось. Его давно здесь не было, может, он в психушке? Допился до белой горячки?

— Дай бог, чтобы был жив... — пробормотал Монах.

Глава 35
Печальная церемония

Навещаю погост.
О, как малы и невзрачны
могилы предков!..

Такахама Кёси «Навещаю погост»

На похороны Кирилла Юшкевича народу собралось немного.

В основном известные читателю лица: Монах и Добродеев, рядом с ними Иван Денисенко с фотоаппаратом; дальше Речицкий с адвокатом, и чуть на отлете Артур Ондрик. И человек восемь сотрудников завода, которые перешептывались и поглядывали в сторону Речицкого.

Еще дальше стоял столбом майор Мельник в черном плаще с поднятым воротником. Был он мрачен и сосредоточен, его пытливый взгляд перебегал с одного лица на другое. Он знал всех, кроме Ондрика и коллег Кирилла.

Хоронили Кирилла Юшкевича в закрытом гробу.

Заунывные звуки похоронного марша, запах влажной земли и срезанных цветов, пасмурный день и дождик, принимавшийся моросить время от времени. Тоска, тоска...

Несколько коротеньких речей. Начал Добродеев, продолжил мэтр Рыдаев, закончил главный инженер-пивовар.

Сказанное сводилось к тому, что покойного они знали недолго, но человек он был хороший и порядочный, и мир праху.

Монах поддерживал под локоть Лару, бледную, гладко причесанную, в черном.

Она застыла, глядя в пространство перед собой. Иногда начинала плакать, промокая глаза носовым платочком.

Когда комья земли забарабанили в крышку гроба, все почувствовали облегчение.

Расходились неприлично поспешно, тем более припустил изрядный дождь.

Добродеев выскочил вперед и направлял всех к автобусу, чтобы ехать в «Белую сову» на поминки.

Монах повез Лару домой, пообещав Добродееву присоединиться к застолью позже.

Майор Мельник не подошел к группе Добродеева, хотя тот призывно махал ему, и теперь стоял, чертыхаясь, под проливным дождем посреди пустой парковки в ожидании автобуса...

Монах доставил Лару домой. Сварил кофе, сделал бутерброд с сыром и заставил ее съесть.

Она повиновалась. Он достал из бара бутылку коньяку и разлил по рюмкам. Протянул одну Ларе.

Сказал: «Пусть земля пухом», — и выпил одним глотком; Лара едва пригубила.

— Он погиб из-за меня, — сказала она, глядя на Монаха с отчаянием. — Он любил меня, он спас мне жизнь.

— Лара, это был нелепый случай, — сказал Монах, лишь бы сказать, понимая, что ей нужно выговориться. — Хотите прилечь?

Она покачала головой.

— Я жалела, что вышла за Кирилла. Я думала, я смогу полюбить его... А теперь я его убила.

Монах молчал, иногда кивал. Большего от него и не требовалось.

— Я уеду отсюда. Как только подпишу бумаги, я сразу же уеду, я не останусь здесь ни на минуту. Мне звонил Рыдаев, они тоже спешат. Я хочу избавиться от этого завода как можно скорее, если бы Кирилл не затеял с покупкой, мы бы сюда не переехали... а так все посыпалось как лавина... Мне нужно было настоять, но он слушался только Андрея... — Она говорила словно в горячечном бреду, комкая в пальцах носовой платок. — Я не могу смотреть им в глаза... Речицкий подошел выразить соболезнования, а я шарахнулась от него, я боюсь, что он меня узнает. Понимаете, я все время боюсь, что он меня узнает! Что меня узнают на улице... Когда я поняла, что Ребров меня обманул, что это была не шутка, что он задумал какую-то подлость... За шутки не платят две тысячи и не просят уехать! Я места себе не находила, хотела написать Речицкому и все рассказать, но побоялась...

— Но ведь ничего не произошло, — уронил Монах. — Они оставались друзьями, он никак не воспользовался записью...

— Вы думаете, это все-таки была шутка? — Она смотрела на него с надеждой. — И Речицкий знает, что это шутка?

Монах пожал плечами: что уж теперь... Шутка? Какая шутка! После «убийства» Ребров мог держать приятеля в руках... на всякий случай. Речицкому не позавидуешь, он потерял друга, и ему напомнили об убийстве. Можно сказать, что Ребров все-таки использовал запись, хотя и не по своей воле...

— Лара, не думайте об этом. Мы не знаем, что это было. Это их дела...

Прозвучали его слова так себе, неубедительно, но Лара была рада и этому.

— Вы думаете, Ребров рассказал ему правду?

И снова Монах пробормотал что-то невразумительное, прекрасно понимая, что рано или поздно придется рассказать ей, что запись в полиции, что Речицкого пытаются обвинить в убийстве неизвестной девушки.

Даже если мэтр отмажет его, сам Речицкий будет жить с памятью об убийстве и странном поступке близкого друга. Да и слава отмазанного убийцы не подарок.

Надо бы ей сказать, конечно, но не сейчас, пусть опомнится после смерти мужа...

Черт, что же делать? Монах, ни при каких обстоятельствах не терявшийся, не знал.

Они сидели молча.

Лара, выговорившись, напоминала выжатый лимон. Она была еще более бледной и измученной, и Монах сказал, что ей нужно лечь пораньше, принять что-нибудь или выпить чаю с ромашкой.

Она кивнула, но ему показалось, она его не услышала.

— Мне остаться? — спросил он.

Она словно проснулась, взглянула на него и помотала головой:

— Нет, что вы! Я сейчас лягу, я не боюсь, идите, Олег, вы и так много для меня сделали... Вы и Леша...

Повторялась вчерашняя сцена, она проводила его до двери, он приобнял ее, и она приникла к его плечу. Он выпустил ее и приказал запереться; стоял на лестничной площадке и ждал...

А потом пошел домой. Ему несколько раз звонил Добродеев, чтобы вытащить в «Белую сову», но настроения идти на люди у Монаха не было ни малейшего, и он пошел домой.

Шел, мрачный, бубнил что-то себе под нос; он действительно не знал, что делать.

Глава 36
Ускорение

Дело об убийстве Якова Реброва, похоже, зашло в тупик. Во всяком случае, не двигалось.

Подозреваемых было прилично, знакомых и приятелей полгорода, обиженных супругов и брошенных женщин немерено, а толку чуть. Токсин не опознан, женщина, чья кровь была в прихожей, не найдена. Подозреваемых в убийстве его подруги Анфисы не было вовсе. Сгоряча арестовали ее мужа Владислава Трепакова, потому что соседка слышала, как они ссорились, и он угрожал жене, но потом выпустили — у него было убедительное алиби.

Ольга Ивановна Полторак, ближайшая подруга жертвы, ничем не могла помочь — у Анфисы не было тайного романа на стороне, и кому она могла отпереть дверь, девушка не имела ни малейшего понятия.

Сначала майор Мельник даже думал, что в убийстве замешана сама Ольга, влюбилась в Реброва, ревновала, возможно, они даже встречались, а потом он переметнулся к Анфисе, и она из ревности убила Анфису. Но у нее тоже было убедительное алиби. Она уехала с другими девушками на такси, потом к ней в гости напросилась одна из девушек, Дина Панайоти, и они еще долго болтали и гоняли чаи, потом в стену постучала соседка, которой они мешали спать. Короче, Дина осталась ночевать у Ольги. Конечно, они могли сговориться и вернуться в квартиру Анфисы, но...

Майор только вздохнул.

...А тем временем Монах сидел в Интернете и рассматривал картины Марка Риттера, а на стене над компьютером висела картина Димы Щуки, взятая без спроса из студии художника.

Она была приятна глазу, не менее приятна, чем пейзажи Марка Риттера. Та же зелень, та же река, те же руины вроде разрушенного маяка на излучине.

Монах время от времени поднимал глаза и любовался картиной Димы Щуки, потом переводил взгляд на экран и любовался пейзажем Марка Риттера.

Дима Щука давно не был дома, Добродеев попытался найти его, но безуспешно. В забегаловках его уже около недели не видели, парочка приятелей, известных Добродееву, также ничего о нем не знали.

Добродеев не мог понять, зачем Монаху нужен Дима, если его картина у него уже есть.

«Пишет в любом жанре!» — сказал Добродеев. Или это был Иван Денисенко?

Вот оно! То, что Монах пытался вспомнить. В любом жанре!

От созерцания пейзажей Монаха отвлек звонок в дверь. Пришел Добродеев, которого распирало желание доложиться про поминки.

— Ну как твоя подопечная? В чем дело, Христофорыч? Ты же обещал прийти! Классно посидели, между прочим, все удивлялись, что нет вдовы. Я сказал спич, все прослезились...

— Молодец, Лео. Написал заранее?

— Экспромт! Могу повторить, хочешь?

— Конечно, только не сейчас. Почему не пришел? Так получилось, Леша, я не мог ее бросить. Проводил домой, посидел пару часов. Она плакала, ей нужно было выговориться, она чувствует себя виноватой, потому что не любила мужа, а он спас ей жизнь. Уговорил ее прилечь и ушел.

— Может, мне тоже ее навестить? Рассказать, как все прошло... Или позвонить?

— Конечно, позвоним и навестим. Присядь, Леша, я хочу тебе что-то показать. Смотри, это сайт Марка Риттера.

— Ну, видел, знаю, и что? — Добродеев подтащил стул, уселся рядом с Монахом и уставился на экран.

— У тебя с английским как?

— В совершенстве! Плюс французский, итальянский, немецкий и...

— Это хорошо, — перебил Монах. — Посмотри на текст, ничего не видишь?

— В каком смысле? Я уже видел. Текст как текст, все понятно. Биография, детские годы, творчество...

— Что такое «лорри», Леша?

— Большая машина. Его отец ездил на большой машине, видимо, на грузовике, мать работала в театре. Ну и?.. При чем тут его творчество?

— А что такое «трак», Леша?

Добродеев задумался.

— «Трак» — это тоже большая машина, только не в Англии, а в Америке, — сказал Монах. — Отец Марка Риттера не мог водить «лорри», он водил «трак»! Никогда американец не употребит слово «лорри», понимаешь? У меня в институте была англичанка, полжизни проработала в Штатах, вдалбливала нам, что это разные языки.

— Это спорно, — заметил Добродеев.

— Согласен, спорно, но ведь мы сейчас не об этом, правда? Мы сейчас о другом.

— Ты хочешь сказать, что текст писал англичанин? И что?

— Господи, да нет же! Текст писал наш отечественный учитель английского языка.

Добродеев озадаченно смотрел на Монаха.

— Это фейк, понимаешь? Такой же, как Марк Риттер! Нет такого художника, и не писал он ни пейзаж с разрушенным маяком, ни «Голубую женщину». Это фикция, афера! Единственный сайт на весь Интернет.

— Чья афера? — спросил Добродеев. — Ты хочешь сказать, что Артур...

— Именно это я и хочу сказать. Он придумал аферу и собирается на ней заработать. Или уже заработал. Причем, как я подозреваю, он проворачивает это не в первый раз. Ребров на вернисаже упомянул, что Артур покупает картину, делает ей рекламу и продает с наваром. И добавил, что нужно еще разобраться, что такое этот Марк Риттер. Он подозревал, понимаешь? Он был далеко не дурак. Кроме того, я показал сайт Эрику, помнишь его?

— Который чуть не убил тебя? — Добродеев хихикнул.

— Он самый. Эрик сказал, что сайт создан три месяца назад. Это фейк, Леша.

— А чьи же тогда картины?

— Посмотри, Леша, это картина Димы Щуки, с которым мне так и не удалось встретиться. — Монах ткнул пальцем в украденную картину. — А это — Марка Риттера. Видишь?

— Вижу. Похоже. Ты думаешь... — Добродеев задумался. — Ну, Димка! От него я такого не ожидал! Что будем делать, Христофорыч?

— Меня беспокоит его исчезновение, Леша. В доме он давно не появлялся, в пивных тоже...

— Ты думаешь... что?

— Не знаю, Леша. Он свидетель. Я допускаю... я почти уверен, что Артур убил Реброва, который его шантажировал. И предполагаю... чисто гипотетически, как ты понимаешь, что он мог не разглядеть лица женщины, которая пришла к Реброву, и принять ее за Анфису. Все произошло очень быстро, тем более Лара была в белом парике.

— Подожди, Христофорыч, Анфиса была убита почти два дня спустя! Разве он не понимал, что за это время она могла сто раз сообщить про убийство и убивать ее уже не имело смысла?

— Должно быть, он не был уверен, что она его видела, решил перестраховаться. Боялся, что она рано или поздно вспомнит... Как-то так. Он убрал свидетельницу и, возможно, свидетеля. Дима Щука ненадежный партнер, он пьяница, такой может выкинуть что угодно.

— А доказательства?

— Леша, я не полиция. Я выстраиваю логическую цепочку, а не собираю доказательства. Это к майору.

— А наезд? Тоже он? Может, он понял, что у Реброва была Лара, а не Анфиса?

Монах пожал плечами:

— Наезд — это очень сложно, Лео. Он бы постарался встретить ее одну где-нибудь в парке. Не думаю, что это Ондрик. Сначала думал, теперь нет. Я уверен, полиция уже ищет, разбитую машину так просто не спрячешь. Достаточно серьезно пошарить по подпольным мастерским, полиции это раз плюнуть. Возможно, ее уже давно нет в городе. У Кирилла были свои враги, как у всякого бизнесмена, тем более он был человеком неосторожным и самоуверенным. Да и задолжал он многим. Позвони Мельнику, Леша, надо бы пообщаться...

Глава 37
Перетягивание каната

Все плагиат, кроме рисунков в пещере.

Автор неизвестен

— Соображаете, что мне известно? — спросил майор Мельник, и в голосе его была ирония. — Думаете, вы тут самые умные? Подкинули мне вещий сон... Чья задумка? Спасибо, конечно. А только вы промахнулись, картинку принес не убийца.

— Картинку принес убийца, — сказал Монах. — Иначе какой смысл?

— Про смысл не знаю, но отпечатки пальцев на постере и на раме принадлежат Реброву. В его квартире мы нашли альбом, из которого он вырезал иллюстрацию, нашли также ножницы. Он сделал это сам. Зачем? Не знаю, я не психолог. Может, ты не так его растолковал?

— Кого?

— Вещий сон.

— Я правильно его растолковал.

Майор развел руками.

Монах смотрел на него и думал, что никогда не замечал раньше, какая у него самодовольная физиономия. И, скорее всего, нет чувства юмора.

— Отпечатки еще не все, — сказал он. — Неужели так-таки ни одного постороннего?

— На раме имеется часть чужого отпечатка, — неохотно признал майор. — Но...

— Стоп! — воскликнул Монах. — Вы содрали его фотку? Что под ней?

— В каком смысле?

— Под ней была наклеена другая фотка! Скажи своим, пусть проверят еще раз. Вот ту, первую, наклеил Ребров. Вырезал из своего альбома своими ножницами, приклеил фотку и послал убийце. А я голову сломал, почему тот устроил шоу! Это была месть! Ребров подшутил над убийцей, приклеил его физиономию, а убийца в ответ подшутил над жертвой. Ребров подкинул ему идею, понимаешь? Убийца наклеил вместо себя Реброва и повесил на место картины, которую вытащил из рамы. Иначе я не могу объяснить, зачем нужно было вешать *это* на стену. На месте убийцы лично я сделал бы именно так. Это не Ребров! Ему в голову не пришло бы вешать среди картин постер с собственной головой. Это сделал убийца. Это финал их отношений, понимаешь, майор? Точка. Он отплатил ему за гадкую шутку той же монетой.

Майор нахмурился, раздумывая; переводил испытующий взгляд с Монаха на Добродеева.

— Ты считаешь, что гадкая шутка мотив? — спросил наконец. — А зачем Ребров послал убийце постер?

— Для прикола! Ребров был шутник. Гадкая шутка — это декорация, мишура. Это часть шоу. Ребров был профессиональным шантажистом, значит, мотив — шантаж. Старо как мир. Потрясите тех, кого он шантажировал. Убийца среди них.

Майор нахмурился, но ответить не успел — к ним подъехал с тележкой Митрич, взглянул вопросительно:

— Не помешаю?

— В самый раз! — обрадовался Добродеев. — Спасибо, Митрич!

— Ну что, ребята, нашли убийцу Яника Реброва и Анфисы?

— Ищем, Митрич. Как, по-твоему, кому выгодна смерть Реброва? — спросил Монах.

— Ну... не знаю, — задумался Митрич. — Он был непростой человек, — сказал осторожно. — Мамочка говорит, у него было слишком много женщин, из-за этого всегда проблемы. И еще она сказала, что Яника и Анфису убил один и тот же убийца. Яника за дело, а ее потому, что она свидетель и что-то знала.

— Кланяйся мамочке, Митрич, — сказал Монах. — Кстати, о девочках, майор. Как продвигается дело об убийстве той барышни? Речицкий под стражей или на свободе?

Майор иронически покачал головой и сказал:

— Самые умные?

— В каком смысле? — удивился Добродеев.

— Мы нашли ее в фотоархиве Реброва. Она училась в музыкальном училище, не закончила, так как выехала из города. Восемь лет назад. Участвовала в конкурсе на Мисс города. Жива-здорова по сию пору. Правда, она сильно переменилась, сразу и не признаешь.

Монах и Добродеев переглянулись.

— За дурака держите? Хотите сказать, что не знали? А кто был на ее квартире? Кто врал про ясновидящую?

Монах подумал, что физия майора стала еще более самодовольной.

Ну, майор, подожди!

— Когда ты понял, что это она? — спросил с любопытством.

— Следственная тайна, — сказал майор.

— Да ладно, просто интересно. Не хочешь, не говори.

— На кладбище. Когда к ней подошел Речицкий, она шарахнулась, и я... понял.

— Похоже, мы тебя обскакали! Мы поняли раньше.

— А знаете, что бывает за сокрытие информации?

— Надо было вызвать нас на допрос, — сказал Монах. — Мы звонили, мы хотели сообщить, но ты не брал трубку.

— Что теперь с ней будет? Как я понимаю, дело против Речицкого закрыто? — спросил Добродеев.

— Ничего не будет. Отсутствие состава преступления. Пусть с ней Речицкий разбирается. Тем более он на свободе. Хочешь, напиши статью на моральные темы. Между прочим, у нее был мотив разобраться с Ребровым...

— Ага, и анализ ДНК взять не забудь. Разобралась с Ребровым и с собственным мужем, — добавил Монах. — Теперь богатая вдова.

— Говорят, Речицкий покупает у нее пивзавод, — сказал Добродеев. — А лошадей продает.

— Все-то вам известно. Кто убийца, тоже знаете? — Он ухмыльнулся, давая понять, что шутит.

Монах запустил пальцы в бороду и ухмыльнулся. Смотрел на майора молча, как игрок с козырной картой.

Добродеев тоже улыбался, и в его улыбке было превосходство.

— Ну! — повторил майор, почуяв недоброе. — Знаете?

— Знаем. Но это, как ты понимаешь, чисто гипотетически. Жаль, что ты не ходишь на вернисажи, майор. Очень познавательно — культурный уровень можно подтянуть и посмотреть на местный бомонд. Там такие варятся страсти, куда там сериалам! На последнем, куда меня вытащил Леша Добродеев, были представлены две картины, новые приобретения хозяина галереи и организатора вернисажа Артура Ондрика... Кстати, он называется «Ветка падуба». Не слышал, майор? — Майор смотрел, набычившись. — Вижу, не слышал. Да, так о картинах. Были представлены две картины американского художника Марка Риттера, нашего земляка, ныне покойного, «Любовь и вечность» и пейзаж. На первой изображена женщина в тумане, голубая с оранжевыми кругами, на другой река и луг. *Типа* что-то вроде кубизма и реализма. Но не в этом суть. Тем более я в живописи не спец.

Монах говорил нарочито неторопливо, словно испытывал терпение майора. Добродеев ухмылялся.

Похоже, им удастся вставить майору фитиля. До сих пор счет был один-один, но ристалище продолжается.

Судя по выражению лица оппонента, он был преисполнен самых мрачных предчувствий.

— Леша, покажи майору картины, — попросил Монах, и Добродеев с готовностью полез в карман за айфоном.

— По пивку? — предложил Монах. — Чего-то в горле пересохло, не привык так много говорить.

Припал к бокалу и стал пить. Добродеев последовал его примеру. Майор Мельник воздержался — он рассматривал картины.

— На вернисаже были Ребров, Речицкий, фотограф Иван Денисенко, Кирилл Юшкевич с супругой и многие другие. Ребров сказал, что Артур покупает картину, делает ей рекламу и продает с наваром. И так всю дорогу. Нужно, мол, еще разобраться, что за художник. То есть допускаю, он что-то заподозрил. Потом произошла драка. Некто по имени Дима Щука... Знаешь его? Не знаешь, ага, я тоже не знаю. А вот Леша его знает — спившийся художник. Так вот, этот Дима Щука подрался и обозвал вернисаж всякими нехорошими словами.

Монах снова приник к бокалу, пил не торопясь, с удовольствием. Поставил бокал и продолжил:

— Я посмотрел сайт художника, которого назойливо совал всем желающим Артур Ондрик, и заметил ряд странностей. Не буду мучить присутствующих деталями. Короче, оказалось, что сайт создан три месяца назад, причем уровень английского позволяет предположить, что автор не американец и даже не англичанин, а наш соотечественник. Еще короче, фейк, равно как и картины несуществующего Марка Риттера. То есть Артур Ондрик обыкновенный жулик и аферист, а в подручных у него местный художник, состряпавший картины. Ребров это понял, так как прекрасно знал местных художников и собирал их картины. И насчет сайта понял, не дурак...

Майор Мельник еще более помрачнел и смотрел букой.

— Пива? — спросил Монах. — Леша, попроси Митрича принести свеженького.

Все молча смотрели, как Митрич расставляет бокалы с пивом и тарелки с бутербродами.

— За успех! — сказал Монах, поднимая бокал. — Мы в одной лодке, майор! Леша, покажи майору картину Димы Щуки. Смотри, майор. Ничего не напоминает?

— Он? — Майор уставился на экран.

— Похоже, он. Мы были у него пару дней назад, но не застали. Там давно никого не было. Яник Ребров по нехорошей привычке шутить и шантажировать взялся за Ондрика и, что называется, нарвался на своего. Если тебе хочется спросить, а не Дима ли Щука провернул аферу, отвечу: нет, нет и нет! Такое у меня... э-э-э... чувство. Хотя у него к Реброву имелся счетец, тот не заплатил за работу, и Дима угрожал ему. А вот где он в данный момент, большой вопрос. Не хочу накаркать, но терзают меня смутные опасения за его судьбу. Я бы поискал его, майор...

... — За успех! — Добродеев поднял бокал с пивом, бог весть какой по счету. — Мы все-таки вставили фитиля нашему майору, Христофорыч! Он аж в лице переменился. Он шерстил девочек Яника и их папиков, а до картины фиг додумался бы. Митрич, давай с нами! — Он махнул Митричу, плавающему за стойкой бара на фоне разноцветных бутылок, как большая усатая рыба.

Тот кивнул и поспешил к ним со своей дребезжащей тележкой...

Глава 38
Подводя итоги

Из всех неприятностей произойдет именно та, ущерб от которой больше.

Следствие из закона Мерфи о неприятностях

Он снова сидел на диване, а Лара суетилась, бегала из гостиной в кухню, приносила кофе и печенье.

Монах отметил, что она заметно успокоилась, в ней исчезли растерянность и готовность расплакаться. Похоже, пришла в себя и примирилась. Ему даже показалось, что между ними возник некий барьер отчуждения, и он подумал, что больше всего ей хочется уехать и забыть все как страшный сон.

Ей не нужны те, кто знает о ее прошлом. Она думала, что переступила через него, но оно напомнило о себе. И как только она сможет, она сбежит отсюда.

— Леша кланяется, — сказал Монах. — Он тоже собирался, но вызвали в редакцию. Он даже расстроился.

— Приходите завтра! Я очень благодарна ему за поминки, сама я бы не справилась. Вы оба меня поддержали.

— Вы решили с делами?

— Рыдаев все сделает. Я понимаю, Рыдаев дружит с Речицким, он ему подыграет, но мне все равно. Я хочу уехать. У меня никогда не было так много денег, мне хватит с лихвой.

— Чем собираетесь заняться?

— Закончу образование, буду путешествовать... Не знаю. Главное — уехать и забыть!

Уехать и забыть... Как будто это так легко! Прошлое волочится за нами, как консервная банка, привязанная к кошачьему хвосту.

Они пили чай. С сухариками и плюшками с джемом. Разговаривали ни о чем.

Монах спросил о квартире, Лара ответила, что продажей квартиры тоже займется Рыдаев, она написала доверенность.

Она напомнила ему птицу, которая бьет крылом, собираясь взлететь. Взлететь и улететь куда глаза глядят. Полная нетерпения...

— Куда же вы собираетесь? — спросил Монах.

— Сначала в Зареченск, там квартира маминой сестры. Поживу там, приду в себя и... — Она улыбнулась и пожала плечами.

— Как я понимаю, сюда вы никогда больше не вернетесь?

— Никогда! Сюда я никогда больше не вернусь. А вы приезжайте, приму с радостью.

Они помолчали.

— Олег, вы замечательный человек...

Она замолчала, испытующе глядя на него. Монах тоже молчал. Ему казалось, он знает, что она хочет сказать.

Он не ошибся...

— Олег, я хочу вас попросить... Я наговорила много лишнего, забудьте, ладно? И про свою семейную жизнь, и про Кирилла. Про свои отношения с Ребровым... это была истерика. Пусть это останется между нами. Это уже прошлое, которое никому не интересно. Ребров умер и унес все тайны с собой. У меня чувство, что я освободилась, понимаете? Впервые за много лет я перестала бояться! Я считаю дни, когда смогу уехать.

Монах в замешательстве теребил бороду. Если бы все было так просто!

— Вы не говорили с Речицким? — спросил он.

— О чем? Господи, конечно, нет! — воскликнула она. — Я с ним со дня похорон не виделась. И надеюсь, не увижусь. Рыдаев все сделает сам.

— Он считает себя убийцей...

— И что? Пришел с повинной? — Она почти кричала, как кричат люди, не уверенные в своей правоте, пытаясь убедить себя и других, что правы. — Ребров и Речицкий негодяи! Я была глупой девчонкой! Из-за них я уже восемь лет живу, оглядываясь...

«Очень по-женски», — подумал Монах.

— Лара, помните, вы спросили про ту запись с видеокамеры...

— А в чем дело? — Она взглянула настороженно.

— Я сказал, что ничего об этом не знаю. Ее нашли во время обыска у Реброва и попытались установить личность убитой девушки. Было открыто следствие, и Речицкому выдвинули обвинение в убийстве. Вчера я узнал, что следствие установило ее личность по фотографии из архива Реброва. Мне очень жаль, Лара. Копии есть также у Рыдаева и у меня. Рыдаев пока не знает, кто та девушка, но узнает.

Она беззвучно ахнула и закрыла лицо руками.

Монах потянулся за плюшкой. Отхлебнул чай. Ему было интересно, что дальше.

— Олег, что же теперь будет? — Она снова превратилась в маленькую испуганную девочку. — Меня арестуют?

— Нет. Вам ничего не угрожает, Лара. Нет состава преступления. Я уверен, дело закрыли. Или не открывали. В случае чего Рыдаев докажет, как дважды два, что это была глупая шутка. Тем более что плодами ее никто не воспользовался. Разве что Речицкий пострадал морально, но отделался легким испугом. Вы правы, он не очень заморачивался убийством, допускаю, просто забыл. Во всяком случае, сон и аппетит это ему не испортило. Сейчас же, когда все вылезло, он чувствует себя убийцей... Похоже, только сейчас он осознал, что наделал. Он человек со всячинкой, я бы не хотел иметь его своим врагом — говорят, он бессовестный, циничный, нахрапистый. Но убийство, — Лара, это тяжкая ноша и кара. Каким бы он ни был, вы-то ведь не такая? Вы добрый человек, так ведь?

Монах смотрел на нее, ожидая ответа.

Лара промолчала.

— На вашем месте я бы встретился с Речицким. Желательно до того, как он узнает, что вы и есть та девушка. Пришел бы с повинной, так сказать. Он тертый калач, всякого навидался и нахлебался, сам не без греха. Он поймет. Тем более это подстроил его приятель. Поплачьте, расскажите, как мучились... Не мне вас учить. — Он помолчал немного и сказал: — Это к лучшему, Лара, поверьте. Для вас в первую очередь. Хватит жить оглядываясь, поставьте наконец точку. В том, что он рано или поздно узнает, можете не сомневаться. И еще. Майор Мельник допросит вас как свидетеля в убийстве Реброва. Вам следовало прийти к нему и все рассказать.

— Он бы подумал, что убила я! Вы бы рассказали?

Монах подумал, почесал бороду и сказал:

— Нет. Не думаю. Каждый выбирает для себя сам, тут вы правы. Насчет того, что он подумает... Не подумает. Тем более убийца Реброва и Анфисы уже найден, его вот-вот арестуют. Майор, конечно, спросит о... *тех* событиях. Но это уже не важно. Неловко и стыдно, но не важно. — Он снова помолчал и сказал, чтобы разрядить обстановку: — С вашего позволения я сварю себе кофе, не против?

Она кивнула, и Монах пошел в кухню варить кофе...

Глава 39
Игра в бисер

Все проходит. Пройдет и это.
Надпись на кольце царя Соломона

Артур Ондрик так и не был арестован.

Спустя два дня его нашли убитым в собственной квартире, где был учинен погром — грабители искали ценности и деньги. Сейф был вскрыт и пуст. Зоя Ондрик, вызванная из N., где она гостила у матери, показала, что пропали несколько картин, две бронзовые статуэтки, очень старые, и ювелирные украшения.

Посреди комнаты лежала на полу изрезанная ножом картина Марка Риттера «Любовь и вечность». Видимо, покупатель тоже догадался, что картина была подделкой...

Было открыто дело об убийстве и ограблении; майор Мельник поклялся, что рано или поздно поставит точку в этой мутной истории, полной настоящих и фальшивых убийств и поддельных картин...

Отпечаток указательного пальца неустановленного лица, обнаруженный на постере с наклеенной фотографией Реброва, принадлежал Артуру Ондрику. Его отпечатки также обнаружили в квартире Анны-Анфисы Трепаковой...

Майор Мельник вызвал на допрос Ларису Петровну Юшкевич и строго с ней говорил. Лара плакала и оправдывалась...

После кропотливой розыскной работы была установлена марка машины, совершившей наезд, — «Мерседес»-двухлетка синего цвета, а затем и ее хозяин, некто Ильин, работник местной филармонии. Майор мысленно поздравил себя с успехом и вытребовал ордер на обыск гаража подозреваемого. Машина оказалась та самая — «Мерседес» с разбитой фарой, помятым бампером и ободранным лаком, но сам Ильин со сломанной ногой уже три недели сидел на больничном и совершить наезд не мог. Единственный комплект ключей был на месте. Ильин едва не расплакался, увидев разбитую машину, и долго возмущался инсинуациям и обвинениям, доказывая, что никто из семьи! Слышите? Никто и никогда! Мы порядочные люди, а вам, молодой человек, надо лучше работать и искать преступников и вообще... Тут он внезапно замолчал, уставившись в пространство. Вспомнили что-нибудь, участливо спросил майор. Оказалось, три недели назад у него гостила сестра с сыном Санькой, оболтусом и безотцовщиной пятнадцати лет от роду, и он, Ильин, воспитывал и назидал племянника...

— Не может быть, — горестно повторял Ильин, — как он мог, паршивец? Я же ему вместо отца, ни в чем не отказывал, а он без спросу угнал, убил человека... Не верю!

В ходе следствия выяснилось, что угонщиков было двое — вышеупомянутый Санька и его дружок постарше, оказавшийся заводилой, — за пару дней до происшествия он сдал на права и горел желанием попробовать себя в деле...

Не мафия, не сведение счетов, не месть, а обыкновенный нелепый глупый случай. Так и живем, сказал себе майор Мельник, не зная, что за углом. Кто скажет, что это было? Случайность? Или закономерность, которой мы не сумели распознать? Вот в чем вопрос. Тут он вспомнил Монаха, который любит порассуждать о неслучайных случайностях, и подумал, что склонность к бессмысленному трепу заразительна...

Как-то раз майор Мельник, проходя мимо цветочной лавки, задержал шаг по причине того, что увидел в витрине непропорционально большие по отношению к стеблю цветы странных форм и самых фантастических расцветок.

Он вспомнил, где видел нечто подобное, попытался вспомнить, как они называются, не преуспел.

Поколебавшись, он толкнул дверь лавки. Звякнул китайский колокольчик.

Майор вошел и попал в райские кущи. Здесь было очень влажно, удушливо пахло цветами и зеленью.

— Пр-р-ришел! — хрипло закричал кто-то у него над ухом, и он вздрогнул. Не сразу разглядел зеленого с синим попугая с хохолком, сидящего в глубине зелени на деревянной подставке вроде пюпитра.

— Пр-р-ришел, пр-р-ришел! — вопила птица, рассматривая майора круглым глазом.

Он с трудом подавил желание немедленно сбежать.

В цветочной лавке майор был впервые. Нет, он, конечно, дарил иногда цветы Василисе, но покупал их в киоске рядом с домом, в последний момент вспомнив про дату. Гвоздики и розы в основном. Ничего другого там не было.

Навстречу ему, приветливо улыбаясь, выплыла декоративная женщина средних лет, похожая на лесное божество: вся в зеленом. Взглянула вопросительно.

Майор кашлянул и сказал:

— Там у вас цветы в окне, темно-красные.

— Фаленопсис! Наверное, для дамы сердца? Минуточку!

Она исчезла в глубинах лавки и появилась спустя пару минут с двумя горшками с красными орхидеями в руках.

— Выбирайте! Прекрасный цветок!

Цветок был не красный, а, скорее, лилово-красный, сложно устроенный, белый и желтый внутри.

«Орхидея!» — вспомнил майор.

— Вот эту! — Он указал на ту, что была более пышной.

Он шел по улице с большим неудобным свертком, больше всего не желая себе наткнуться на кого-нибудь из коллег.

Через пару кварталов ему удалось остановить такси, и он с облегчением нырнул внутрь.

С замиранием сердца он позвонил и вдруг подумал, что ее может не быть дома. Но она была дома — он услышал осторожные шаги за дверью, а потом почувствовал, что его рассматривают в глазок.

Дверь раскрылась. Неловкая пауза — они смотрели друг на дружку.

— Это вам, — сказал майор Мельник, протягивая ей сверток. — Можно?

Она отступила, и он вошел.

Дверь с грохотом захлопнулась и отрезала их от внешнего мира...

Ларе разрешили наконец уехать. Монах и Добродеев проводили ее на вокзал.

Она все-таки встретилась с Речицким, и они поговорили.

Когда она рассказала об их встрече восемь лет назад, Речицкий обозвал себя идиотом и сказал, что сразу узнал ее.

— Конечно, узнал, — сказал он, — только не мог вспомнить, кто такая! Думал, артистка.

Он допытывался, зачем Яник Ребров поставил спектакль и сделал запись.

Зачем? Для шантажа? Или в силу природной подлости, для того чтобы напугать приятеля, еще больше привязать к себе и тыкать, как в жука палкой, намекая иногда на убийство, и смотреть, как тот корчится от ноши, от которой никогда не избавится?

Ответа на этот вопрос нет. Некому уже ответить...

Монах и Добродеев отметили окончание «картинного» дела у Митрича. Митрич суетился, выспрашивал подробности и время от времени уединялся на задворки заведения позвонить мамочке и доложить свежие новости.

— Что будем делать, Лео? — спросил Монах. — Урожай созрел, и жатва собрана. Даже жалко, я как-то втянулся.

— Кстати, Христофорыч! — воскликнул Добродеев. — Забыл сказать! Нашелся Димка Щука. Он провел две недели на Магистерском озере, на пленэре, так сказать. Но вдохновения не было, и он все время пролежал на песке, загорал. Даже искупался два раза, хотя вода уже холодная. Очень удивился, узнав про убийства, оказывается он понятия не имел о том, что творится в городе, так как газет не читает, в Интернете не сидит и сплетен не слушает. Яника Реброва он прекрасно знал, но не уважал, потому что тот зажал его гонорар и они подрались, одним словом, пустяковый был человек; Артур Ондрик, у которого галерея, очень хитро... э-э-э ... мудрый, так и вился, с улыбочками и ужимочками. И вторая жена бросила. Он по его просьбе написал «Голубую женщину», хотя, говорит, с души воротило. Дерьмо! Плюнул в вечность. А пейзаж отдал буквально за копейки. А убитую женщину он вообще не знал. А еще сказал, что не похож Ондрик на убийцу, видать, крепко прижало чувака.

— Психолог, — заметил Монах. — В двух словах обрисовал суть.

— Художники, они такие. Проникают в нутро. Я пригласил его к Митричу, не против? Ты давно хотел с ним познакомиться. Димка очень обрадовался. — Добродеев посмотрел на часы. — Сейчас подгребет. Вот он! — Добродеев вскочил и помахал рукой.

Через зал размашистой походкой спешил высокий мужчина в коротких джинсах, растянутой футболке и вьетнамках. Похоже, после кемпинга на Магистерском озере он так и не успел заскочить домой и переодеться.

— Привет, Леша! — Он обменялся рукопожатием с Добродеевым. — Я вас знаю! — заявил, уставившись на Монаха. — Леша рассказывал. Вы монах Христофор. — Он протянул Монаху руку: —Дмитрий Щука, свободный художник. — После чего упал на стул, утер лицо подолом футболки и сказал: — Ну и жарища! А вода холодная, купался всего два раза, да и то судорога схватила, чуть не сплел лапти.

Было художнику примерно тридцать с небольшим гаком, был он поразительно красив, смугл, нечесан и небрит. Кроме того, у него был сочный синяк под левым глазом. Голос у него был хриплый и очень громкий, удивительно неприятного тембра. И говорил он без передышки обо всем, что приходило в голову. Он рассказал, что провел две недели на озере, взял холсты и кисти, но ни фига не работалось, спал в мешке под звездами, разобрался с компанией по соседству, которая пила и голосила всю ночь...

Тут он потрогал синяк под глазом.

Потом ходил за грибами в соседний лесок, набрал до фига белых, но местный дедок-грибник сказал, что ядовитые, и пришлось высыпать, а потом пожалел и вернулся, а их уже нету, видать, спер тот дедок. Ночью приходила лиса и сожрала все мясо, а потом тявкала и не давала спать.

— Ты, Дима, кушай, — заботливо приглашал Добродеев. — Это фирмовые Митрича, пивко вот тоже. Давай!

— Ага, а то я без горючего малость привял, думал, обойдусь, пора завязывать, не взял, а те паразиты гуляли всю ночь, ну, я и пошел!

Дима жадно ел и жадно пил. Монах и Добродеев переглядывались.

Митрич неодобрительно наблюдал издалека. Диму он прекрасно помнил, так как полтора года назад тот подрался с другим гостем, и пришлось вызывать наряд полиции.

Наскоро перекусив и утеревшись рукавом, Дима рассказал, что вернулся домой, а дверь открыта, забыл запереть, хорошо, что не обнесли хату. И вспомнил, как однажды их грабанули, в смысле, городскую квартиру, когда он еще жил с Ленкой, а она дура вызвала полицию и сказала им, что это он, Дима, спер плазму на бухло. После чего рассказал, что сейчас встречается с одной врачихой, и она хочет за него замуж, а он не собирается, ну на фиг, нахлебался семейной жизни!

И так далее, и тому подобное...

...Вечером Монаху позвонила Анжелика и закричала:

— Олежка, Кира в разводе уже полгода! Мы столкнулись в городе, посидели в «Шарлотке», она расспрашивала про тебя, как ты да с кем. Я сказала, что ты один, никого не встретил... ну, и все такое.

«Все такое!» Видимо, это значило, что ему прилично перемыли кости.

— Ты давай, не зевай, Олежка! Она хорошая... Может, она из-за тебя развелась, а что? Ты уехал, она как в омут бросилась замуж, а тебя не забыла.

— Спасибо, Анжелика, — поблагодарил Монах. — Приму к сведению. Кланяйся Жорику.

Потом позвонил Добродеев и, хихикая, спросил:

— Ну, и что ты думаешь про Димку, монах Христофор? Каков колорит, а? Это не я, честное слово, это он сам придумал. Я же говорил, он даже не заметит, что ты спер пейзаж. Между прочим он не имел ни малейшего понятия, что Артур торгует его картинами. Представляешь, если бы он увидел на вернисаже свою «Голубую женщину»? Артуру повезло!

— Да уж, везунчик, — заметил Монах.

— Димка — добрая душа, если попросишь, он тебе надарит своих картин... *до фига*! Как он тебе?

— Понравился, — сказал, подумав, Монах. — В единственном экземпляре, штучная работа. И картины ничего, приятные глазу.

— А я тебе о чем! — обрадовался Добродеев. — Уникум!

Элегия

На распутье в диком древнем поле
черный ворон на кресте сидит...

Иван Бунин. «На распутье...»

...**М**онах сидел в парке на своей любимой скамейке и смотрел на далекую Троицу.

Осень уже ощущалась в прозрачном воздухе, в резких светотенях, в запахе увядшей зелени и грибов. Он переводил взгляд на сверкающую реку и опустевшие пляжи. Река была густо-синяя, пляжи — ярко-желтые. В их пустоте тоже чувствовалась осень. Рядом с ним на скамейке лежал мобильный телефон.

У парапета, где когда-то зимой стояла женщина в шубке, никого не было. По аллее, ведущей к пушкам, никто не шел. Парк был пуст, меланхоличен, пронизан лучами неяркого уже солнца. Солнечные пятна лежали на зеленой притомленной слегка траве, и воробьи прыгали в ветках не так энергично и жизнерадостно, как летом.

Время от времени Монах брал в руки мобильный телефон, задумчиво рассматривал его и клал на место. Переводил взгляд на парапет, у которого никто не стоял, и на пустую аллею. Чесал бороду и задавал себе философский вопрос: «Почему?»

Она же тебе нравится, правда? И картинка красивая: она у парапета, синий шелковый шарфик вьется, а вокруг снег... Помнишь, как ты смотрел на нее? Помнишь предвкушение добрых перемен? Любопытство? А потом радость узнавания, когда они разговаривали долгими зимними вечерами...

Он представил, как они пьют кофе у него на балконе... Или нет, она не пьет кофе, она пьет цветочный чай. Они любуются вечерним городом, беседуют о... О чем? О книгах? О кинофильмах? О музыке? Ходят в театр, в концертные залы и в художественные галереи, а потом обсуждают... Он поежился: из жизни голубей! И бороду придется сбрить, Анжелика давно требует, да и Добродеев время от времени высказывается негативно... «Синяя борода», — говорит Анжелика. Далась им всем его борода!

Он вспомнил трех своих жен... ведь любил же! А потом что-то происходило... где-то: в космосе, на Солнце, в недрах, и он бросался стаскивать с антресолей громадный рюкзак. Должно быть, ему интересно бежать куда глаза глядят, в неизвестное, и дышать воздухом свободы, а в супружестве сильно не побегаешь и все известно до оскомины. Должно быть...

Монах вздохнул и посмотрел на трость с головой собаки, прислоненную к скамейке.

Какой рюкзак? Какие пампасы? Все в прошлом. Так, может, самое время пересмотреть ценности и сделать шаг в нужном направлении? Как советует умная Анжелика...

Надо все взвесить, подумал он. На одну чашку весов положить одно, на другую — другое. И, замирая, смотреть, как они ходят вверх-вниз. Пусть решает жребий. Миром правят знаки и жребии. Или символы. Конфуций вроде. Если на аллее в следующие пять минут... Нет, в три!

«В следующие три минуты появится кто угодно, хоть бродячая собака, звоню», — решил Монах. И замер в ожидании, уставившись на аллею...

Оглавление

Пролог 7

Глава 1. Неистовость. Все проходит... 11

Глава 2. О богах и героях 18

Глава 3. Красивая жизнь богемы 27

Глава 4. Скромное обаяние кулуарного трепа 37

Глава 5. После бала 47

Глава 6. После бала. Часть вторая 55

Глава 7. Серые будни 60

Глава 8. Суаре 64

Глава 9. Письмо 75

Глава 10. Дождь в парке 77

Глава 11. Дождь в парке. Часть вторая 84

Глава 12. Убийца 92

Глава 13. Горечь и трагизм бытия 99

Глава 14. Оля-Одри 105

Глава 15. Бомба! 113

Глава 16. Громкое дело 124

Глава 17. Монах... куда ж без Монаха! 128

Глава 18. Кажется, мы в игре! 136

Глава 19. Клуб толстых и красивых и мэтр Рыдаев 145

Глава 20. Одна сатана 155

Глава 21. История греха 168

Глава 22. Совет в «Тутси» 176

Глава 23. Сны как явь... 182

Глава 24. Пусть прошлое хоронит своих мертвецов... . .187

Глава 25. De profundis 195

Глава 26. Дом мертвеца 200

Глава 27. Ностальжи, ностальжи... 208

Глава 28. Ночные бдения 220

Глава 29. Раскат грома 232

Глава 30. Низвержение в пучину .248

Глава 31. Бегство 254

Глава 32. Исповедь 260

Глава 33. Сеанс гипноза 271

Глава 34. О взломах и кражах 278

Глава 35. Печальная церемония .285

Глава 36. Ускорение 289

Глава 37. Перетягивание каната .295

Глава 38. Подводя итоги 301

Глава 39. Игра в бисер 306

Элегия 315

Литературно-художественное издание

ДЕТЕКТИВ СИЛЬНЫХ СТРАСТЕЙ

Бачинская Инна Юрьевна

ЖЕНЩИНА В ГОЛУБОМ

Руководитель группы И. Архарова
Ответственный редактор А. Антонова
Литературный редактор О. Басова
Младший редактор В. Лосева
Художественный редактор С. Курбатов
Технический редактор Г. Этманова
Компьютерная верстка З. Полосухиной
Корректор Н. Овсяникова

В коллаже на обложке использованы фотографии:
© Inara Prusakova, janniwet, Zadorozhnyi Viktor / Shutterstock.com
Используется по лицензии от Shutterstock.com

ООО «Издательство «Эксмо».
123308, Москва, ул. Зорге, д. 1. Тел.: 8 (495) 411-68-86.
Home page: www.eksmo.ru   E-mail: info@eksmo.ru
Өндіруші: «ЭКСМО» АҚБ Баспасы, 123308, Мәскеу, Ресей, Зорге көшесі, 1 үй.
Тел.: 8 (495) 411-68-86.
Home page: www.eksmo.ru   E-mail: info@eksmo.ru
Тауар белгісі: «Эксмо»
Интернет-магазин : www.book24.ru
Интернет-магазин : www.book24.kz
Интернет-дүкен : www.book24.kz
Импортёр в Республику Казахстан ТОО «РДЦ-Алматы».
Қазақстан Республикасындағы импорттаушы «РДЦ-Алматы» ЖШС.
Дистрибьютор и представитель по приему претензий на продукцию,
в Республике Казахстан: ТОО «РДЦ-Алматы».
Қазақстан Республикасында дистрибьютор және өнім бойынша арыз-талаптарды
қабылдаушының өкілі «РДЦ-Алматы» ЖШС,
Алматы қ., Домбровский көш., 3«а», литер Б, офис 1.
Тел.: 8 (727) 251-59-90/91/92; E-mail: RDC-Almaty@eksmo.kz
Өнімнің жарамдылық мерзімі шектелмеген.
Сертификация туралы ақпарат сайтта: www.eksmo.ru/certification
Сведения о подтверждении соответствия издания согласно законодательству РФ
о техническом регулировании можно получить на сайте Издательства «Эксмо»
www.eksmo.ru/certification
Өндірген мемлекет: Ресей. Сертификация қарастырылмаған

Подписано в печать 30.09.2020. Формат 84х108¹/₃₂.
Гарнитура «NewBaskerville». Печать офсетная. Усл. печ. л. 16,8.
Тираж 2 500 экз. Заказ 6670.

Отпечатано с электронных носителей издательства.
ОАО "Тверской полиграфический комбинат": 170024, Россия, г. Тверь, пр-т Ленина, 5.
Телефон: (4822) 44-52-03, 44-50-34, Телефон/факс: (4822)44-42-15
Home page - www.tverpk.ru Электронная почта (E-mail) - sales@tverpk.ru

16+